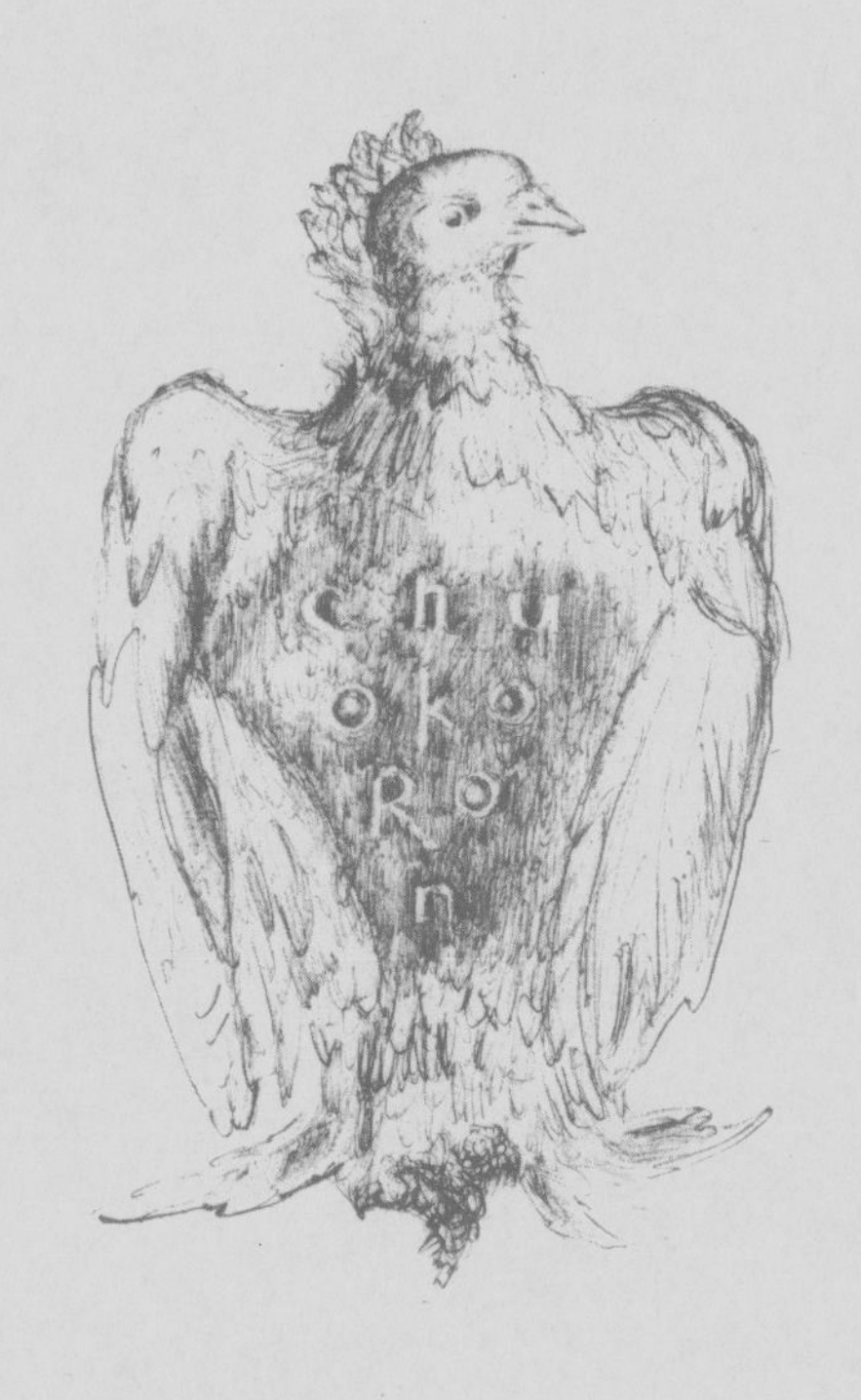

風を探して

森　瑤子著

中公文庫

風を探して

森　瑤子著

中央公論社

目次

風を探して

1　暁の声

国際空港はどこも似たり寄ったりで、同じような顔をしている。

もちろん例外がないわけではない。十年ほど前に訪ねたミクロネシアの小さな島の空港は、何かの植物の葉で葺(ふ)いた屋根と、それを支える円柱とでできているだけだった。雨が降ればたちまち奥の方まで吹きこみ、屋根はたいした役にたちそうにもなかった。事実、あの日は雨が降っていた。それもあの地方独得の生温(なまぬる)いスコールで、雨などという生易しいものではなかった。滝のように飛沫を上げる水の分厚い体積。それは私が島に到着した二日目から降り出して、何日も同じ勢いで降り続け、私をホテルの一室に閉じこめ続けた雨だった。

島が溶けだしはしないかしら、と怯えた眼で、水の厚いカーテン越しに、ラグーン（礁湖）と、そこに浮かぶ無数の丸い小島を眺めながら、私は男に不安を訴えた。ほんとうは、不安は、もっと別の心の深層から来るものであることを識っていたのに、私は雨を口実にしたのだ。喜んで。

実際、島全体が砂糖菓子で、それが海と接するところから、少しずつ輪郭を滲ませ、やがて溶けて崩れ、流れだしていくのではないかと連想させるような豪雨であったことは、事実だった。風さえ吹いていた。不安を孕んだ突風が、いやが上にも雨を空港内部に吹きこませていた。私をその島から運び出す飛行機は、いつまでも到着しなかった。

空港建物のほぼ中央で、すくみ上っていた私の全身は、吹きこむ雨飛沫で惨めなほど濡れてしまっていた。スコールは温ま湯のようで、時折、それに熱湯が混じることがあった。

屋根の下の湿度は高温の飽和状態で、吹きこむ熱い雨に濡れそぼちながら、私はとめどなく汗を流し続けていた。それがどんなに気持の悪い体験かということを、またしても男に訴えた。僕にどうしろというのだと言うように、彼は肩をすくめ、私から視線を逸らせた。

カサブランカで飛行機を降りて、長い灰色の通路を税関に向かっている時、私の頭に浮かび、執拗にとりついたのは、なぜか十年も昔の、すっかり忘れていた雨の情景だった。

通路の片側は連綿と続くガラス窓で、ありふれた飛行場の風景を映し出している。日射しを浴びている機体。長い滑走路。そこここで揺れている陽炎。スーツケースを山積みにし連結機でつながれた荷物運搬車が、気忙しげに走って来て視界を横切る。白い服を着たよく日に灼けた男たちが、格別何をするでもなく歩き回っている。滑走路近くで働く全ての男たちがそうであるように、白い服は油じみ、いくつも染みをつけている。

だからそこが成田であってもいい訳だ。ケネディ空港でも、ヒースローでも、バンクーバーでも、絵柄は同じだ。で、一瞬自分がどこにいるのか忘れる。その空白の記憶の中に、雨のミクロネシアの空港の情景が、浮かび上ったのだった。

そのことの意味を考えようとしたまさにその時、三人の人影が私の前に現れ、行く手を阻んだ。

なぜ、彼らの存在に気づかなかったのだろうか。よほどぼんやりしていたのだ。不意打ちをくらって自分を無防備に感じる。

背の高い男が二人と、女が一人。男たちはニコリともせず、無言で私を取り囲み、女が自己紹介をして右手を差し出す。彼女は微笑していた。

彼女の手を握り返したが、長いアラビア風の名前はほとんど聞き取ることが出来なかった。柔らかくうねる祈りのような音声だけが、耳に残った。

次に彼女は男たちを私に紹介した。やはり名前を聞き取ることは出来なかった。漠とした憧れを感じさせる響きだけが、宙を漂い、そして消えた。

その三人が、あるオフィシャルな筋からの連絡で、私を出迎えてくれたのだということがわかった。私が出発前に希望したのは、私と同じように小説を書くモロッコの女性に逢いたいということだった。けれども出迎えに出て来てくれた、その女性がそうであるかは、その段階ではわからない。

どこでどのようにその人と逢うのか、コンタクトの方法も、名前も知らされていなかった。

そのことを私はあまり気にかけなかった。小説を書くモロッコの女性が来てくれても来てくれなくても、別にかまわないことだった。第一、旅のスケジュールがあまりきちっときまっているのは、私のやり方ではない。いきあたりばったりの方が性に合っているのだ。

これまでも数えきれないほど旅をして来たが、私流のやり方で、出逢うべき土地と、出逢うべき人々に、結果的に出逢って来た。それは常に偶然と言ってよいほどの出逢いから始まり、旅の終りは必然となっていた。私は出逢うべき人に、出逢うべき時期に、必ず逢えることを、自分の人生経験から識っている。

三人は驚くほど違っていた。同じ国の人とは思えないほど三人三様の顔をしている。一人は色の黒い口髭をたくわえた大男で、モロッコの女流作家（としておこう）が喋った英語から察するに――彼女は英語よりフランス語の方が、はるかに堪能なのだ。もっともこの国では、ほとんどの人が堪能とまでいわなくともフランス語を解し、そして喋る――彼は政府要人のボディーガードであるらしい。

肩のあたりの岩のような感じと、いかにも寛いで油断しているような見せかけの一枚皮の下で、事があれば瞬時に行動を起こそうとしている眼に見えない緊張感と、いかなる表情も刻んでいない、けれども愚かさの微塵も感じられない顔とから、彼が要人の信頼するに足るボディーガードであることは、少しも疑いの余地はないものと思われる。

もう一人の方の男は、やはり彼女の説明によると観光局のPR担当のような職業であるらしいが、その風貌はボディーガードとはずいぶん違う。乱暴な印象を言えばボディーガード氏はベルベル人種のようだし、PR担当官はアラブ系に見える。色もオリーブのグリーンを含んだ茶褐色で少し薄い。けれどもボディーガードより彼の方が全身や眼に鋭い緊張感を漂わせている。それが私をわずかに落着かない気持にさせる。

モロッコの女流作家は三十五、六歳で、色も白くふくよかで、身につけているのがカフタンではなく、おそらくパリ製のスーツだというせいもあって、ヨーロッパ系に見える。

もっとも人種の詮索をするのは本意ではない。モロッコの歴史を少しでも読めば、この国の人たちが単一民族でないことはすぐにわかることだ。先住民族であったベルベル人は、アラブ、フェニキア、ローマ、ヴァンダルといった諸民族に絶えず征服され、多種多様の混血を重ねて来ているわけだから。

従って私が問題にするのは人種ではなく、ましてや皮膚の色でもない。髪の毛や眼の色でもなく、誰がこの旅で出逢うべくして出逢う必然の人なのか、ただそのことだけの興味なのである。

少なくともそれは大柄でいかめしいボディーガード氏ではなかった。なぜなら彼は、パスポート検査を受けるために出来た長い行列を尻目に、私を横の特別の出口からいとも簡単にノーチェックで出してくれた後（もちろん、パスポートには入国のスタンプを押されたが）、不意に居なくなり、その後二度と現れなかったからである。

実は、顔には出さなかったが、問題なく入国できて、私はほっとした。もしも普通に行列を作って、根掘り葉掘り質問をされ、パスポートの隅々まで検閲されていたら、入国を許可されなかったかもしれないからだ。

というのは、去年私はイスラエルを訪ねているのだ。その際、イスラエルに行った者は、他のアラブ諸国で入国を拒否されることがある、とあらかじめ説明されていた。必要なら、パスポートに入国のスタンプを押さずに、別紙に押してもらうことも出来るとも聞いていた。エジプトにはすでに前々年行ったし、そう近い将来、他のアラブの国を訪ねることはないだろうとその時考えたし、私のパスポートはあと少しで五年間の有効期間を失うはずだった。そうすれば新しいパスポートを携帯するわけだから、イスラエルに入国した証拠はどこにも残らない、とそう軽く判断した。

ところが意外に早くモロッコの旅の話がもち上り、無謀にも、入国を拒否されるかもしれない証拠の烙印が押してあるパスポートを持って、旅立って来ていたのだ。

しかし、それほど不安でもなく心配もしていなかった。私のパスポートは増頁していて分厚かったし、過去五年間の出入国のスタンプの数は夥しかった。係官が全ての頁をたんねんに、眼を皿のようにして検査するとも思えなかった。そうでない方に賭けた。万が一、発見されたとしても、最悪の場合、モロッコに入国できないだけで、逮捕される訳ではない。入国できない場合もある、というのだから、入国できる場合もあるのだろう。十中八九、大丈夫だろうと考えてはいたのだ。そういうことで私はあまりあれこれ悩んだりしない方だった。だめならばだめなのだ。当って砕けるしかないではないか。

政府要人のボディーガードのおかげで、トラブルもなくモロッコに入国し、彼が消えた後、残りの二人がカサブランカ市内のホテルまで車で送ってくれた。

「あなたをなんて呼んだらいいかしら――」と、私は、車を運転しているモロッコの女流作家に、名前をよく聞きとれなかったことをけどられないように、さりげなく言った。「わたしのことはシナ、シナと呼んで」

するとは彼女は私の名を口の中でシーナと、長く引き伸ばして数回呟いた。一度めよりは二度めの方が、二度めより三度めの方が、そして最後に彼女の口の中で私の名は別の個性を持ち、より美しくなった。

今度は彼女が名前を告げた。

「フェトゥマ。それがわたしの名前です」

私はスペルを訊ねた。彼女はフロントグラスの前方に視線をあてたまま、ゆっくりとスペルを口にした。

私は頭の中にそのスペルを置き、それをなぞりながら数回フェトゥマの名を口にした。彼女がシーナと私の名を数回口にしたように。

一度も耳にしたこともなく、ましてや口の中で転がしたこともない異国の言葉を声にして言ってみるという特別の悦楽が、私を満たしたのはその瞬間だった。ほとんど官能的ですらあった。

私は自分の口ずさむ声の調子を聴いた。音節をはっきりときわだたせて発音すると、音がもつ独自の響きに、躰がぞくぞくしてくるのが感じられた。

彼女の名前は、私の名前がそう響いた以上に、私の口の中でより神秘的に、より美しく、何か特別な意味と重みをもつに至った。

私とフェトゥマの視線が、バックミラーの中で出逢った。私たちはその時それぞれの胸に灯った温かい思いを、告げることのできる言葉を、どちらも咄嗟に思いつけなかった。

言葉は必要でなかった。彼女の茶色い大きな瞳に優しさが滲み、その眼が私に向かって微笑していた。おそらくその瞬間、私たちの眼は姉妹のようによく似ていたのに違いない。そこから滲みだす温かい光の質において。

旅の目的のひとつが満たされるのを感じた。バックミラーの中に発見した茶色く輝く瞳は、出逢うべくして訪ねて来た瞳であることがわかったからだ。

去年イスラエルで出逢ったのも、それとそっくりの輝く茶色い瞳だった。

ある種のつつましさと用心深さをベールのようにおとしていたネイザン・モッシャの眼が、一人のユダヤ人の見知らぬ男から、友人に変る一瞬の時があった。それまでネイザンは、私の友人のそのまた友人にすぎず、共通の友人に対する敬愛から私のガイドを買って出てくれたのだ。私たちは礼儀正しく一定の距離を保ち、なれなれしくしすぎないよう用心するあまり、むしろお互いにそっけなく振るまっていた。その三日後、死海からの帰りにランチに立ち寄ったジェリコの町の、荒廃したレストランでのことだった。

しかし、いきなりジェリコの町の閑散としたレストランでの、あの会話について書いても、それがあの時の私の驚きと、息づまるような緊張に続いて引き起こされた、めくるめくような歓びを説明することができるとは、とうてい思えない。そこに至るまでの過程の長々とした描写がなければ、何かを伝え得る自信は、私にはない。

けれども今、別の主題で別のことを書いているわけだから、長々とあの時のことを引用することはできない。ただひとつ言えるとすれば、こういうことだ。フェトゥマと私が、カサブランカ市内に向けて走っている車の中で、お互いの名前を数回ずつ口の中で呼びあったのと、同じようなことが起こった、ということ。

それは両方とも唐突に起こった。予期しなかったからこそ、新鮮な驚きと発見と、それに引き続く歓びとがあった。そしてそれはオーガスムの歓びと酷似しているかもしれない。躰の中心から突き上げて来て溢れ、流れだし、痙攣しながらやがて海のように鎮まっていくという過程において。後味の温かさと淋しさとにおいて。二人が作りだした肉体の記憶のはかなさにおいて。

今でも眼を閉じると、あの時の鬱々として物淋しくも充実した情景が、脳裡にいきいきと甦る。

モロッコと同じ日射し。同質の乾いた空気。日射しが作り出すくっきりとした暗い影。そうした共通のものが、あの幸福と痛みとがないまぜになった過去の一時へと私を後戻りさせるのかもしれない。

あの時、私はとても怯えていたのだ。行ってみてわかったのだが、ジェリコはヨルダンとの国境沿いの武装された町だった。

ネイザン自身、私をそこに案内してしまってから、周囲の物々しさと荒廃に気づき、眉を寄せたほどだった。つい数年前まではそれは美しい町だった、と彼は説明した。週末ごとに車を飛ばしてテル・アビブの町から夕食を食べに訪ねて来たものだった、と。

何があったのかというと、数年前ヨルダン兵が国境を越えたためジェリコで小競り合いになったのだ。どれだけの死者や負傷者が出たのか、私は知らない。

けれども、人っ子一人通らないレストランの前を、五分おきに数人ずつパトロールして通り過ぎる、武装したイスラエル兵士の姿を見れば、今でも緊張が解けていないことくらいわかる。

道をはさんで反対側に軒並みに立ち並んでいる、かつては繁盛し、イスラエル人の男女で溢れたレストランのパティオは、今は鉄条網が張りめぐらされ、木板が打ちつけられ、手入れをされぬまま放置されたぶどう棚や、生い繁っては自然に立ち枯れていった雑草などで、かつての栄華はあとかたもなかった。

たった一軒だけ奇蹟のように店を開いていたそのレストランとて、客は他に一人もいなくて、庭の手入れもされていない。何度か声をかけてようやく一人のアラブ人が姿を現し、無言でメニューを置いて、また奥へ消えてしまった。

やがてどこから現れたのか数十四の猫たちが、遠巻きに私たちを取り巻き、遊泳しながら徐々に獲物に近づく鮫のように、それとわからぬほど少しずつ、私たちのテーブルに近づいてくるのだった。

どの猫も、奇妙なことにどこかがまともではなかった。足が三本しかない猫。片眼の猫。耳のちぎれたもの、尻尾が折れ曲ってしまっているもの、眼ヤニだらけで両眼共つぶれているもの、躰中の毛がごっそり抜け落ちているものといった具合で、どの猫にも共通なのは飢えを露わにして猛々しくも卑屈な気配を漂わせていることだった。私たちは、声もなく顔を見合わせ、オレンジ棚の下で、こもれ陽を浴びながら、しばらくの間茫然としていた。

時々、地響きをたてて軍用トラックが、武器や兵士を満載し、フルスピードですぐ前の道路を走り抜けて行く。

「恐い？」

とネイザンが訊いた。

私はうなずいた。

「何も起こらないさ。少なくとも今日は。あなたは安全にテル・アビブのホテルに戻れるよ」

彼はそう言った。でも私は、自分の胃の底にひんやりと横たわる恐怖を、追いやることはできなかった。

「あなたは？　恐くない？」

「自分のことなら」と彼は静かに答えた。「ただ、あなたを無事にホテルまで送り届けなければならないと思っている」

少し考えて、そしてこうつけ加えた。「何かを守らなければならない時にだけ、人には恐怖心が生れるんだと思う。そう、僕も少し恐いよ。それを認めよう」

一匹の猫が私の足に触れ、さっと離れた。毛のごっそりと抜け落ちた雄猫だった。私はとても嫌な気分がして、躰を強ばらせた。

「私が恐いのは」

と説明しようと言葉を探した。「あなたが今も厳密には見知らぬ人だからだと思うわ」私たちはこの三日間で実に色々なことを喋りあった。お互いの家族の一人一人のこと。仕事のことや夢について。十年来の友人にだって話さないようなささいなことについても喋りあっていた。でもそれは情報の交換にすぎず、お互い吐き出しただけだった。なぜなら、一日中同じ車でイスラエル中を見物している時、沈黙しているわけにはいかないからだ。彼が十年前にニューヨークから帰化したイスラエル人で、父親の仕事を継いでダイアモンド商をしているが、本当は若い頃からずっと作家になりたかったということを私は知っている。彼の両親がナチのキャンプに数年入れられていたということも知っている。九歳の時、エルサレムに行き、〝嘆きの壁〟に向かって祈りをささげる人々を眺めていた時の、少年だったネイザンの心をよぎった感情の一部も知っている。ニューヨークで出逢った同じ宝石商の男から、娘をもらってくれないか、と申し込まれて結婚した妻との出逢いのいきさつも知っている。そして、その妻と三人の幼い娘たちを何より愛し慈(いつく)しんでいる彼の現在の心を知っている。彼が話してくれたからだ。

裕福で、普通男がのぞみうる全てを持っている一人の成功したイスラエル人が、眼の前にいた。オレンジの樹の葉が作る影の中に、実に静かに坐っていた。

でも彼は、淋しそうだった。肩のあたりにそれが滲み出ていた。その眼は重く暗かった。私にはその理由がわからなかった。で、話を終らせるために続けた。

「あなたは信じられないくらい親切で、三日間私を案内して回ってくれたわ。誤解を恐れずに言えば、でもあなたは私を愛していない。私もあなたを愛していない。言い換えると、もしあなたを愛していれば、今、ここで私に何が起ころうと、私は何にも恐くないんだと思う」

私は言葉を切って、彼を見た。「私の言う意味、正確にわかってもらえるかしら?」

私は彼の愛を求めたのでもなければ、彼に愛の告白をしたのでもない。冷静に、事実をのべたのだ。愛していないと。今はまだ愛していないと。

でも私はきっと、あの時、オレンジの樹の下で静かに暗い視線を落していたネイザンを、愛し始めたのだと思う。ただ、自分でもそうとは気づいていなかったのだ。

一陣の風が吹きぬけて、その場の空気を変えた。

「風が好きなの」と私は言った。「風が私の小説の重要なテーマなのよ。私はこの国へも風を探しに来たの」それは抽象的すぎたが事実だった。

「じゃ、あなたはもう一度来なければならないよ、来年の夏に。そうすれば、風に逢える」

「その風は夏にしか吹かないの？」

その時の季節は十一月の初めだった。

「そう、夏の数ヵ月だけ、サハラから吹き込む熱い風。いったん吹きだすと、それが何日も吹き続ける。ザラザラした熱風で、毛穴や眼や口や鼻を塞いで僕たちを窒息させる風だ。あの風が吹き出すと、じっと耐えるしかないんだ。怒り出さぬよう、叫び出さぬよう、発狂しないよう、自分自身とのたえまない闘いが始まる」

「その風に名前はあるの？」

すると彼は笑った。「あなたが必ず風の名前を訊くと思ったよ。作家は風の名前を知りたがるのさ」そして答えた。「ハムシン」

「そう。それがサハラ砂漠から吹き込む熱い風の名前だよ」

「……ハムシン」

そして私たちは急に黙りこんだ。

「来年の夏——」と、彼は眼を上げた。手が少し動いて私の手に近づいたが、触れなかった。

「わからないわ」私は逆に視線を落した。

「でも来てみなければ、あの風については書けないよ」

また沈黙が流れた。

「あなたの眼について喋ってもいいかしら」

いささか唐突に私の言葉が沈黙を破った。僕の眼についてね、とネイザンが私の言葉を口の中で転がした。少し当惑していた。

「あなたの眼はビジネスマンの眼ではないわ」私は下唇を嚙みしめた。少し勇気が必要だった。「あなたの眼は、作家の眼よ」

それは、あなたを愛している、と言う時の心の動揺と敗北感と、優しい諦めの感じに酷似していた。

そのことは思いつきではなかった。ネイザンに最初に逢った時から感じていたことだった。彼の言動の端々から、彼の中で静かに煮えたぎり、出口を求めてせめぎあっている夥しい言葉の気配が、私にはわかっていたのだ。なぜなら、かつて私自身がそうであったからだ。三十五歳の時。今の彼とほとんど違わない年だ。夥しい言葉をかかえこんでいた。原因のわからない熱病患者のように、体内の言葉の熱さに焼かれて、日夜転げまわって苦しんだ。その頃、私の眼は重く、熱を含んで暗かった。そのことを手短にネイザンに話した。

何があったのかと、彼が訊いた。何があって、あなたは書きだしたのか、と。

〝カタルシス〟、とだけ私は答えた。他に何も言わなかったし説明しなかった。説明したくなかった。ネイザンは、打ちのめされたように粗末な椅子の背に体重をあずけ、眼を閉じた。

「あるいは崖から飛び降りることね、飛び降りる寸前までは恐いけど、降りてしまえばそれまでだわ。足の骨くらい折るかもしれないけど」

「折った？」と、彼が訊いた。

「全身複雑骨折」私は笑った。「今でもあちこち痛いけど。――問題なのは、自分一人のつもりが、大事な人たちまで引きずり降ろす結果になって傷つけたことね」

「そこなんだ、僕が躊躇するのは」ネイザンは両手を握りしめた。

やがて私たちはメニューを開き読み始めた。イスラエル人がオリエント料理と呼ぶところのアラブ料理が数種類、書かれているだけの粗末なメニューだった。彼はケバブのサンドイッチを、私はトマトとオリーブとナスのペーストを注文した。

生温(なまぬる)いビールで流しこんだ質素な食事が済むまで、私たちは何も言わなかった。沈黙はもはや苦痛ではなかった。

「あなたが僕のカタルシスなのかもしれない」と、最後に彼が言った。私にというよりは自分に問いただすような感じだった。「そうであって欲しい」

その瞬間の眼のことなのだ。私が一度諦めて思い直し、長々と回り道をして説明を試みたのは。バックミラーの中のフェトゥマと同質の眼。私の名前を、愛撫のように口の中で転がした直後の彼女の茶色い瞳。私が出逢えたと思った人物との出逢いを決定した瞳の色。

「来年の夏――」

と再びネイザンが言いかけた。「ハムシンの季節に風に逢いに来て下さい」

私はうなずいた。

「ええ、きっと――」

そして私は来たのだ。風に逢いに。サハラ砂漠から吹きこむ熱い風に逢うために。イスラエルではなく、モロッコに。そしてこの地ではハムシンとは呼ばずに同じ風をシロッコと呼ぶ。マグレブではハルマタンとも言うサハラの熱風。

しかし同じ風なのだ。私は約束を守った。私自身との約束を、守った。


ホテルで私を降ろすと、フェトゥマが言った。

「今夜、陽が沈んでからわたしの家においでになりませんか」

私は着いた早々だったし、長旅で疲れてもいた。

「ラマダン中なので、特別のことはできませんけど」

ラマダンがどういうものであるかについては、私も少し知識を持っていた。私の主治医のモヒト先生はトルコの人で、彼女が年に一度日本風に「いま断食(だんじき)中なのよ」と言うのを、何度か聞いたことがあるからだ。イスラム暦の九月の一ヵ月間、日の出から日の入りまで食事はもちろん、水も飲んではならないというイスラム教の厳しい戒律のひとつだ。

私は急に興味をそそられた。ラマダン中の食事がモロッコではどういうものかを知る絶好の機会だった。それにモロッコの家庭の中に入って、その生活が見られるというのは、願ってもない。旅の疲れなどと言っている場合ではなかった。喜んで、フェトゥマの招待を受けることにした。

「では六時半にお迎えに上がります」

と言って、彼女は右手を差し出した。

雨に降りこめられたあの美しい島に行くまで、あの男が私を見捨てたと思っていた。私を見捨てて逃げだしたのだと。私たちの秘めた関係が露呈してしまい、それが世間的なスキャンダルになることを怖れて、彼は立ち去った。ツバメのように、と私は思った。とても素早く。私を批難と恥辱と孤独の中に残して。

私は夫から離婚され——、この言い方はあまり正しくないし、第一謙虚ですらないのかもしれない。最初の夫との仲はすでに冷えていたし、あの男のこととは関係なく、いずれにしろ破局を迎えたのだと思う。

それから一年もたたないうちに私は二度目の結婚をした。全ての結婚がそうであるように、その結婚も過ちであったが、そうであると気づいた時には、私は妊娠していたのだ。

それに過ちを犯すということに対して、私はある種の寛大さを持っていた。面白がってさえいたのだ。傷ひとつないつるっつるの人生なんて面白くもおかしくもないと思っていたから。

それはともかく、再婚する直前に、あの島を訪れ、彼に会ったのだった。

再会してどうこうしようというつもりはなかった。復縁を迫るには私はプライドが高すぎたし、私をひどい状態でほとんど見殺しにした男を、心の深いところでは許していなかった。違う男と再婚の意志があることはもちろん、最初の夫との離婚の件さえ、彼には話すまいと心にきめていた。そして最後までその決意を守り通した。真実を告げないことで、私もまた彼を見捨てたのだった。

島の、柱と屋根だけでできた空港建物の中で私を迎えた男を一目見た時、私は自分の思い違いに、いきなり見えない手で顔を力一杯ひっぱたかれたような気がしたのを、昨日のことのようにありありと覚えている。

別人のように体重を増やし、コンタクトレンズのかわりに眼鏡をかけ、たえず汗をかき続けるだらしのない服装の男が私の前に立っていた。

肩で息をし、息をする時太った人特有の風のような音をたてた。二年もたたないのに、彼は変り果ててしまっていた。

そしてその時、私は自分の思い違いに気づいたのだ。彼が私を見捨てたのではなかったのだ、と。私が、彼を追放してしまったのではないか。その考えは自虐的であるゆえに、私の気に入った。

「ここの生活が気に入っているのね」

島の入江の端、マングローブ林の手前に建っていた彼の借り家の外観はパブリック・トイレット以上のものには見えなかったが、室内は質素ながらきちんとよく整頓されていた。

ベッドがひとつと敷き物が一枚、引き出しを二つ重ねただけに過ぎないタンスの上の壁に、数枚の写真が画鋲で止めてある。若い頃の母親らしい女と膝に抱かれた彼らしい幼児。私が出逢った頃よりもっとスラリとした美青年の時代のポートレート。どこか知らない風景をバックにした男たちばかりの記念写真。若いミクロネシア美人の、フォーカスのあまいポートレート。私の写真がなくても私はぜんぜん驚かない。冷蔵庫の中を覗きこんで缶ビールを取り出している彼の背に、もう一度同じ質問を投げ、私は若い女の顔をみつめる。とても美しく出来上った粘土の彫像の鼻のあたりに、掌を押しつけて少しつぶしたような顔だ。厚い唇の間から、輝くような白い歯が覗いている。

けれども三十になれば頬骨の下の肉が落ちて瞼がくぼみ、ミクロネシアの中年女の特徴が露わになってくる顔だ。四十歳で皮膚が硬くなり、白眼の部分が黄色く濁り出し、すでに老婆の様相を呈し始める。だが私の知ったことではない。顎に片手をあてがっているその手の甲の褐色なのに対して、掌が赤味を帯びたもも色をしている。その生々しい対比が私の眼を奪う。私は一瞬足がすくむ。

「何が気に入っているかって？」

私に缶ビールを手渡しながら彼が訊いた。私の視線が捉えているものを彼も見る。彼は何も言わない。私も同じ質問を三度繰り返さない。

「ホテルをとってくれたのでしょう？」

彼の部屋には私が坐る椅子もなかった。クーラーはあったが調子が悪くほとんど機能してはいなかった。缶ビールを飲むために少し後ろにそらせた男の肉のついた首筋が、だらだらと流れ落ちる汗で光っていた。

缶ビールを持った手で私を抱くと、優しい声でほんとうにしばらくだ、と言い、前よりもはるかにきれいだと言い、逢いに来てくれてとてもうれしいと言った。

彼の躰は熱かったが、半袖のシャツは汗で湿っていてひんやりと冷たかった。言葉と言葉の間に彼は肩で息をし、その生温かい息が私の顔を打った。もはや、私が知っていた頃の美しい男ではなかった。耐え難い程の肉の塊となり十歳は老け、汗を流し続けている。

私が彼の抱擁からあまりにも早く逃れ出たので、そのことに彼は驚き、そして気を悪くする。ここでは嫌なのだ、と私は呟く。私もまた汗をかいていたから。脇の下や乳房の間に浮かんでいる汗の存在をはっきりと意識する。顔もてかてかと光っているのに違いないと思った。私もまた不潔でだらしなく、落ちぶれたような気がしていた。

「挨拶をしようとしただけだよ」と、彼は困惑したように答えた。

私たちはホテルルームに移り、次の日から雨が降りだし、結局そこで五日間彼と共に過ごすことになった。雨は罰でもあるかのように降り続き、私たちは他にすることがなかったので情事ばかり重ねていた。

どんなことからも眼を逸らすまいと誓った。なぜなら、そこでは何もかもが眼を背けたいことばかりだったから。

太った女の下腹よりも更に醜悪な肉のだぶついた男の下腹から眼を逸らさなかったし、私の肢（あし）の間に顔を突っこみ、豚のように鼻を鳴らしながら音をさせて愛液を啜（すす）っている男の、蛭（ひる）のように濡れて光る口からも眼を逸らさなかった。

食事をする時も、昔から彼のマナーは上等とはいえなかったが、島ではほとんど下品でさえあった。皿の上に口を近づけ、せかせかと食べた。食事中はろくに口もきかなかった。指さえも使った。油でベトベトした指をシーツで拭うのはまだましだった。彼はそれを自分の胸で拭った。一度だけ、それが特別の愛情の表現でもあるかのように、私の肋膜（ろくまく）の上の皮膚で拭った。私は叫ぶかわりに押し黙り、食事を中断して立って行くとシャワーを浴びた。それで彼は二度と私の皮膚で自分の油で汚れた指を拭うことだけはしなくなった。

彼は豚のように私と情事をし、豚が餌（えさ）を喰（く）らうように食事をした。ギターを手に昔のようにウェイロン・ジェニングスの唄を歌うこともしなかった。本は一度も開かなかったし、私を島の観光にも連れ出さなかった。

島での情事は回を重ねるごとに陰惨で執拗になっていく。毎回彼は私がアクメに達するまで止めなかったので、その時間はどんどん長くなり、二人とも貧血と疲労困憊とで息もたえだえになって眠った。眠りから覚めると体力を回復するためにルームサービスをとり、食べるとまたしてもそれが繰り返された。そしてその間、私は何ひとつとして見逃さず、眼も背けず、全てを凝視していた。

腰はガタガタになって力が抜け、下半身は充血してしびれ、麻痺状態となっていた。そしてついに、精神ではなく肉体が反乱を起こした。四日目になると、彼を受け入れられなくなったのだ。触れられただけで獰猛な怒りが私の内側を駈け巡り、反射的に彼の肩に嚙みついていた。彼は驚いて眉を寄せたが、すぐにそれが何かの新趣向のゲームとでも思ったのか逆に興奮して、強引に私の中に侵入しようとした。私の中の動物的な怒りが爆発し、再び、今度は腕に歯を立てる。

私の歯はゲームの限度をはるかに越えて、皮膚を突き破り、脂肪の層を抜け、筋肉にまで深くくいこんでいたので、今度は彼は悲鳴のような唸り声を上げて、馬乗りになったまま、平手の指を全部開いて力一杯私の顔を撲りつけた。撲られたために私は半狂乱になり、束の間、死闘のような激しい揉み合いが続いた。私の鋭い爪は本能的に男の眼を狙って、虚しく空を引っ掻く。二人とも、その瞬間、眼に憎悪と絶望の色を浮かべて、相手から殺されないために守勢の闘いを演じた。ついに私がねじ伏せられ、男の手が私の両手をシーツの上にがっちりと釘づけにした。彼は勝利と征服の歪んだ微笑を浮かべると、ねじ伏せた戦利品である私の、すでに力つきた躰の中に、猛々しくそそり立った彼自身の短刀を突き刺して、私にとどめを刺したのだった。次の瞬間、私は嘔吐した。

その場に。ベッドの上一面に。彼に向かって。それは落ちて来て私に降りかかる。私は吐いた。全てを吐きだした。その四日間の飲みこみ難かった全ては、未消化の、悪臭を放つ残滓(ざんし)となって胃液と共に吐き出された。

それでも足りなくて、胃がひっくり返り、裏返しになるまで吐き続けた。私は彼を吐き出し、私の思い違いや現実を吐き、最初の夫を吐き、裏切りの行為であった秘密の情事を吐き、結婚の年月を全て吐き出し、娘になり、少女になり、赤んぼうになり、母の腹に宿る胎児のところまで溯って、吐きに吐いたのだった。そして終った。私の人生の半分がそれで幕を閉じたのだ。吐瀉物でしかなかった私の半生。汚物の中で震えていた。内側も外側も寒かった。内側の方がもっと寒かった。浴室では男がシャワーを浴びている音がいつまでも続いていた。ホテルルームの外に降りしきる雨の音がそれに重なった。三十五歳という自分の年を思った。その年齢を内側からなぞってみた。三十五の節が指先に触れた。たったの三十五の節。なのに私は老婆のような気がしていた。

犯されて女になった十七歳の年にも、私は老婆になったような気がした。たった一度の、初めてのその体験で、私は性の本質を識ってしまったのだ。何千何万回と回数を重ねようと変ることのない性の不変的なありようを、そのただ一度のアクシデントの中に見てしまったのだ。女には穴があり、男によって刺し貫かれるものだ、という――。その穴をひとつ持っているかぎり、無力だった。自分が真のところで無力であるという意識から、解放されることがなかった。

やがて結婚をして子供を生んだ。死産だった。結果はそうだったが、私の穴は、別の目的に使われることを、身をもって知った。それは何かを入れるためではなく、出すために使われたのだ。私の子供は、生きるためではなく死ぬために、私を内側から切り裂き、その襞（ひだ）という襞を張り裂けんばかりに引き伸ばし、ズタズタにして、血みどろで出て来た。一度も泣き声を上げることもなく、眼を開いて外界を見ることも、自分に死を授けた生みの親の顔を見ることもなく、外気をその小さな肺の中に吸い入れることもなく、彼女は、手足を縮めた胎児の姿勢のまま、骸（むくろ）となったのだ。その時私が感じたのは、赤んぼうに対する哀れさではなかった。無為になってしまった十カ月間のことを思った。何の役にも立たなかったその月日は、私の短い人生の中に於いて、あまりにも理不尽に長すぎた。奪われてしまった十カ月。

　そして私の膣は——男に快楽を授けるためにのみ存在していた受け身の穴は、最初の無益な出産によって、二度と元へは戻らなかった。裂けた口が縫われ、切り傷が治癒した後も、私のあそこの襞は、一度そこを無理矢理通過して行ったものの大きさと体積とを記憶し、しかもその記憶を襞のひとつひとつに刻んでいたのだ。私は自分が使い果され、使用済みになったのを感じた。実際に私にそう感じさせたのは最初の夫だった。彼が私に、私はもう使用済みなのだということを、口ではなく、私を刺し貫くものでもって、私に教えたのだ。それ以後、夫は私を刺し貫かないことで、私にその事実を証明したのだ。

十七歳の時に、私の躰に掘られたその穴は、それ以後ずっと私をそのように支配して来た。そこにそのような穴がひとつ出現したことにより、私は男に怯え、恐れ、そして奇妙なことにそれゆえに男を愛し、媚(こび)やご機嫌とりのために、男が一番したがることをさせて来た。つまり彼らの肉の棒で、そこを埋めさせて来たのだ。

私の穴は、三年間、私の閉じられた肢の間で、息をひそめ孤高を守って来た。あの男に出逢うまで、その存在さえも忘れた。私は彼に出逢い、そして出逢った瞬間、電流のようなものが躰の中を走りぬけ、毛穴という毛穴が電気を帯びて目覚めるような感覚を覚えたのだった。

その頃私はある種の逃避から、水晶(クリスタル)の神秘にとりつかれていた。掌(てのひら)にすっぽり入ってしまうくらいの小さなピラミッド型の水晶を、いつも肌身離さずに持っていた。ふと入ったアンティークの店で、それをみつけたのだ。入ってしまってから気づいたのだが、その店には水晶でできたものが多く陳列してあった。けれどもクリスタルのピラミッドは、それひとつだった。手に取った時、奇蹟が起こった。

それが、私の掌にぴたりと吸いついたのだ。眼に見えない吸盤でもついているかのように。

指を折り、掌の中に閉じこめると、私自身が閉じこめられるような気がした。私が自分の掌の中のクリスタルの内部に閉じこめられ、安全に守られているのを感じた。

私は店の奥に行き、買おうとして財布を取り出し、値段を訊いた。店主は、クリスタル製のチェスで、一人勝負をしていたのだが、ちょっとだけ眼を上げて、それは売れない、と言った。

私はひどく失望してその理由を尋ねた。

もともと、あんたのものだったんだから、と店主はチェスに視線を落して、透明に輝くコマのひとつをつまんで言った。

あたしのもの？

私は掌を開いて、それまで閉じこめていたピラミッドをみつめた。すると店主の言葉が正しいのがわかった。理由はわからないが、それが私に属するものだ、ということだけが、わかるのだった。そうね、あたしのものだわ。

だろう？　だから金を取る訳にはいかないよね。

私はでも困惑してしまっていた。

どうしてもというのなら、と私の胸の内を見透したように店主が言った。チェス盤からもう眼を上げもしない。そこいらにあるものをひとつ買ってくれればいいさ。

実は私も咄嗟にそう思ったのだった。手近にあるピルケースを取り上げて裏を見て、そこに書かれてある値段だけ、千円札を取り出して、チェス盤の横に置いた。店主はうなずいただけで、一人ゲームを続けた。私は店を出た。それだけだった。二度とその店へは行かなかった。水晶のピラミッドは、それ以来、私と一緒だった。どこへ行くのにも、スカートかスラックスのポケットに忍びこませ、時々ポケットに手を突っこんではそれに触れ、ほっとするのだ。そしてあの男に出逢った。

そこは酒場で、私は夫と待ち合わせていた。カウンターのところで、立ったまま飲みものを飲んでいた。男や女が入れ替りにやって来ては、飲みものを注文し、お金を払い、席に戻って行った。そのまま、カウンターで飲み続ける男たちもいた。

あの男が一人でふらりと入って来て、カウンターに立ち寄りビールを注文し、お金を払った。二日ばかりカミソリをあてていない感じの髭が、顔の半分を陰のように覆っていた。ビールを受けとると、男は他の人の邪魔にならないように、少しどいて結果的に私の横に並んだ。自然に眼が合い、同じように自然に無言の乾杯の仕種をし、それぞれ別の方を見て、中身を飲んだ。

「エジプトには、いつ、いた？」

唐突に男がそう訊いた。全然別のことを言ったのかもしれない。質問ではなく独り言だったというふうにもとれる。しかし唐突なのに、ごく自然に私はそれを問いかけのように受け止めた。それも今にして思えば不思議だった。

「太古といってもいいくらい昔にね」

更に自然な口調で私はそう答えた。答えてしまってから、胸がとても早く打っているのに気がついた。ずっと昔というのが何千年も前のことだという、強い思いが、私を支配していた。男が肩越しに、ふりむいて私を見た。その青紫の瞳に見憶えはなかった。知らないのではなく、忘れてしまっているだけなのだと感じた。だって、あれから何度も生れ変ったのだもの。私は自分の内側の声に茫然とした。輪廻転生（りんねてんしょう）のことは知らないわけではないが、特に興味もなかった。ましてや自分の身におきかえて考えたことはなかった。

「エジプトに帰らなくてはね」

と男が言った。彼が静かに言ったのはそれだけの短い言葉だったが、彼が言わない色々なことが、一度に私にはわかった。男は、またエジプトに一緒に行かなくてはならない、と言っているのだ。私たちは過去のどこかの時代に、エジプトで一緒だったのだ。彼は私の兄だった。いや夫だった。もしかしたら父だった。とにかく愛によって私を支配していた男であったということだけは確かだ。それが私にはわかった。わかっていることの全てだった。

「でも、なぜあたしだとわかるの？」

そして私もなぜ彼だとわかるのだろう。ポケットの中で私の掌はじっとりと汗をかき、握りしめていたピラミッドが熱をもったように感じられる。

彼の手が動き、ビールのジョッキをカウンターに置くと、その手がズボンのポケットに突っこまれた。次に彼が取り出し、掌にのせていたのは、水晶のピラミッドだった。

私は驚いたが驚かなかった。驚かないことに、むしろ自分で驚いていたのかもしれない。次に、うれしさが、温かい泉のように、内側から湧きだして、溢れだすのがわかった。とてもうれしかった。幸福なのだった。私たちは二つの相似型の水晶のピラミッドを突き合わせながら、声を出さずにいつまでも笑っていた。それが彼との出逢いだった。ドラマティックでもなければ、格別にロマンティックでもない、ごく自然なありふれた出逢いだった。その時はそう感じた。

あれから十何年もたってしまった今では、ずっと作為めいた感じがしている。自分でさえもそう思うのだから、あの出逢いがいかに私たちにとっては自然であったかと感じたことを、他者に説明し、それを自然に受けとめてもらえる自信は、とうていない。こうして今、過去の記憶の叢（くさむら）に分け入り、それを漠然と思い起こすだけではなく、言葉にして書きしるそうとすると、私は当惑してしまうのだ。今では、証拠の水晶のピラミッドでさえも、私の手元にはないのだから。私たちはあれを、ギザのピラミッドの頂上の石の上に、置いて来たのだ。怒りを鎮めるために。あらゆる地上の怒りを鎮め、沈静させるために。あの当時、私たち二人をかりたてたのは、そのことだった。それが私たちの使命だったのだ。二人が出逢い、二つの水晶が出逢うこと。それをピラミッドの頂上に置くこと。

狐つきのようなものだったのかもしれない。多分そうなのだろう。水晶の精が、あるいはピラミッドの魂が、それぞれ他人の私たちに別々のところでお狐さんのように取りついたのかもしれない。

私たちは狐火に焼かれ狂おしく燃え上がり、駈け落ち同然にカイロに行き、——すぐに、というわけではなかった。定められた時期が来るまで、待たねばならなかった。それまでに一年半かかった。私たちの旅費が貯まるまでの期間と、奇妙にも一致した。そのことさえも、運命のように我々は感じた。今ではとてもそう言い切る自信はない。

ともあれカイロに行き、ギザのピラミッドに登り、水晶を祭ってしまうと、私たちは急に虚しさに襲われた。もう熱い口調で語り合う目的がないのだ。それは終ってしまったのだ。それがわかっていたから、ギザ行きを一年半も先に延ばしたのかもしれない。

いずれにしろ、帰国してみると、私たちを待っていたのはスキャンダルだった。予期していなくもなかったが、起こってしまうと、それは大竜巻のように私たちを巻きこんで吹き荒れ、彼と私をバラバラの方向に吹き飛ばして止んだ。私は夫から離婚され、彼は南の島へと逃げだした。

お狐さんはまだ取りついたままだった。私が雨に閉じこめられた南の島のホテルルームのベッドの上で嘔吐するまで、取りついていたのだ。そして何もかも吐き出した時、お狐さんが離れた。

セピア色の絹のジュラバを身にまとったアリ・ラシード・ラフマーン氏は、その床まで届くエレガントでありながら、どことなくイスラムの神秘を彷彿とさせる民族衣装を身につけていなければ、スペイン人かイタリア人に見えるだろう。それくらい、マグレブの人たちとは違っていた。ごくあたりさわりのないことを言っているのにすぎないのに、何か非常に大事な秘密を打ちあけてでもいるかのような、マグレブの人々のあの独得の話し方を、彼はしなかったし、相手の気持をたえず確かめるようなアラブ人的まなざし——それでいてその眼は凍った沼のように無気味な静けさと無関心さをたたえているのだが、ラフマーン氏の茶色い瞳は温かく、どこかからかうようなユーモアがあった。

彼はフェトゥマの父で、そこはカサブランカ郊外にある金持や要人たちが住まいをかまえる、いわば高級住宅街に建つアラビアとアンダルシア地方の折衷住宅であった。

広大な敷地内は、そこがサハラ砂漠と接する国とは思えぬほどのうっそうとした樹木があり、ブーゲンビリアや朝鮮朝顔、他にも名は知らないが火のように赤い房状の花をつけた大木——多分、火焔木と言うのではないかと思うが——などが、花を咲かせている。

屋敷は四百坪はあるかと思われる。少しずつわかったことだが、その広大な屋敷にラフマーン夫妻と、離婚して身を寄せているフェトゥマと、彼女の二人の子供たちと、もしかしたらフェトゥマの三人の弟夫婦のうち一組と、それと数えきれないほどの使用人たち――私の眼に触れただけで、門番と庭木の陰で作業をしていた庭師、玄関に迎えに出た執事（バトラー）（彼は運転手も兼ねている）、三人の若いメイドたちだが、眼に触れない台所や裏庭の方にも使用人の気配がたえずしていた――とが住んでいるらしかった。

私のために、というよりは、こういう社交的な集りは日常茶飯事なのであろう。ラフマーン氏の成人した子供たちがそれぞれの連れ合いをともなって、集って来ていた。他にも政府の要人とか観光局の人たちが招かれているのが、少しあとで紹介されてわかった。

いずれも男性はジュラバを、女性は絹のカフタンを着用し、上流階級の男たちが世界共通にスラリとしてハンサムであるように彼らもその例外ではなく、また彼らの妻たちも、偉大な父親の七光りを受けて成長した男たちが、いかにも選びそうな、育ちも良ければ高等教育も受けた、美しい若い女たちである点も、世界に共通していることだった。

けれども、それらのことは、アリ・ラシード・ラフマーン氏の本来の魅力をいささかも損なう要素とはなりえない。彼は常に穏やかな微笑を浮かべ、ことあるごとにどこかピリッとした辛口の冗談を言ってやろうとするあまり、前かがみの姿勢で、なおかつ優雅に君臨する王者の風格をそなえた家長なのであった。

私はこの家の長に一目で深く惹かれた。彼は長老の知恵と少年の微笑とを持つ美しい初老の男性で、孫も娘も三人の息子たちもその嫁たちも、そして彼自身の妻も、誰も彼もが彼を敬愛しているのが一目瞭然なのであった。

そして私は、これほどにつつましく、自然に屈託なく、誰も彼もから惜しげもなくささげられる愛を受け入れている人を、他に知らない。彼はむしろ、尊大さや愛されるもののもつ傲慢さと、これほど無縁な人を私は知らない。彼はむしろ、そうした人々の好意を、少し恥しそうに、わずかに意外で驚いたように謙虚に受けとめるのであった。

私はその夜の彼のお客であったから、当然私の隣には彼が坐り、私が動くたびに彼が私の横にぴったりと寄り添って家中をエスコートしてくれた。その間に彼から放射されるエネルギーを、私は生理的に非常に好ましく受けとめた。おそらく六十代の後半と思われるが、その年齢の男性をセクシーだと感じたのは、後にも先にもラフマーン氏、ただ一人である。

それはさておき、アリ・ラシード・ラフマーン氏にしろ、古くは南方征服王アフメッド・エル・マンスールにしろ、アラウィー朝第二代のムーライ・イスマイール王にしろ、マグレブの人々の名前の、なんという神秘的で美しい響きをもつことか。それに地名。マラケシュ、フェズ、カサブランカ、タンジェ、ラバト、カスバ街道といった響きがもたらすむせかえるような異国情緒と郷愁。更に想像を掻きたてるのは、カスバ、メディナ、スーク（市場）といった名詞、羊飼、駱駝市、水売り、大道芸人や香具師たち。雑踏する市、香辛料の鼻をつく匂い、アラビア模様やベルベル装飾と共通する、同質のものの繰り返しを果てしなく続けるマグレブ音楽。夕刻ともなると市場のいたるところでたちのぼる串ざしの羊肉を焼くもうもうたる煙と匂い。そういったものの全てに対して、私の五官は好奇心のあまり波立ち、泡立ってくるのだった。

我々の国が極東ならば、モロッコは極西の国だ。日の出の国から日の沈む国へと、私はやって来たのだという情緒を、しみじみと嚙みしめたのは、ブセッタ家の極彩色のタイルを敷きつめたアラブ形式の居間でであった。足の裏に伝わるそのひんやりとしたタイルの冷たさによって。部屋部屋にうっすらと流れる見えない煙のようにたちこめる香木のオリエンタルな香りによって。

人々がたえまなく喋るアラビア語の、うねるようなひるがえるような喉音の、意味はわからないが、それゆえにどこからともなく滾々と湧き出ては、互いに混じりあって溢れていく言葉の愛撫のようなその響きによって。そうしたもの全てによって、私の旅の情緒が満たされるのであった。

そして私は、微かにひび割れたような、独得で甘美なラフマーン氏のしゃがれ声が、語りかける英語の響きにさえも、うっとりとしてしまうのだった。

ここに至るまでの長旅を思う。パリ経由の物理的な今度の旅と、二分の一世紀に及ばんとする私自身の人生の旅とを重ねる。旅とは元来そのようなものなのだ。現在地に立って過去をふりかえる作業といってもいい。そしてモロッコが、私の旅の終着駅という訳ではない。

ある、前もって作られたイメージをスーツケースにつめて、カサブランカを訪れなかったのは我ながら賢明なことだった。

ボギーとバーグマンの名画「カサブランカ」の街を期待しないで下さい、とあらかじめ関係者は私に忠告していた。あれはハリウッドで作られたイメージなのだ、と。多分そうなのだろうと、その時私は思った。それに私は、仮に〝リックス・カフェ・アメリカン〟がそこに現実に在ったとしても、かつてリックという男が存在した印など見たくはない。リック、、、、、、、、そのものに逢うのでなければ。

もっとも観光客を意識して〝リックの店〟を再現した〝バー・カサブランカ〟というのがあるにはあるらしい。多分その店はアメリカ人たちで一杯で、黒人のピアニストが少なくとも一夜に三度は〝アズ・タイム・ゴーズ・バイ〟を弾き、遠路はるばるやって来た旅人の期待を大いに満たしてやるのだろう。

彼らの大部分は、前もって手にした絵葉書どおりのものが、たとえそれが作りものの安っぽいレプリカであろうと、そこにあればそれで安心するのである。

ある意味でレプリカ文化のメッカたる東京から来た私は、カサブランカにおける〝リックの店〟の偽もの程度では感動しない。モロッコ中に氾濫しているシャネルやヴィトンやグッチのレプリカに全く私の食指が動かないのと同様だ。

私は自分を眩惑するものだけに惹かれる。私の感性に、強いまぶしさを与えるような土地、及び人間に対してのみ、深いエキゾチシズムを感じるのだ。

「旅が好きなのですか」

とアリ・ラシード・ラフマーン氏が訊いた。

陽が沈み、中庭に向かって開いている窓の外の蒼さが深く不透明になりつつあった。窓は全て中庭に向かって開いており路地に面した窓はほとんどない。そして中庭は天に向かって開いている。おそろいのグレーのスモックを着て、白いエプロンと白い髪隠しをつけた若いメイドが三人がかりで、ラマダンの食事の載った丸いテーブルを運んで来て、私たちの前に置いた。

私が旅についての質問に答える前に、この家の主人が言葉を滑りこませた。「ここでは、人間が食卓のところへ歩いていくのではなく、食卓が我々のところへ運ばれてくるのです。朝食をどうぞ」

それは多分、召使いを大勢使っている一部の恵まれた人々にだけ言えることで、大多数のモロッコの人々は、食卓に歩いて向かうのだろうと解釈しながら、私はラマダン中の食事が日の入りと共に朝食から始まるということを、初めて知ったわけである。

「旅が好きかというご質問ですけど、ええ旅が好きですね。じっとしていると血が煮つまり濁ってきますでしょう。旅に出るということは、アドレナリンが躰中を駈けめぐり、血をいったんは騒がせ、浄化してくれるものだと思うのです」

そして私は、「あなたも旅がお好きなのでしょうね、ミスター・ラフマーン?」と答えの終りに質問した。

「地球の技術文化の努力の方向と同じように」と彼は穏やかに答える。答えながら銀製の器のふたをとって、ハリラという豆のスープを、一人一人の茶碗に注いでいく。食卓を囲んでいる彼の息子たちと花嫁たちは、私と同様客人めいた表情で、その声にじっと耳を傾ける。ラフマーン氏が続ける。

「文明の進歩は〃旅〃からも〃過ち(ミステイク)〃を取りはずしてしまったのです。失敗は許されない。一人でニューヨークのハーレムを歩いてはいけないのです。旅に於けるミステイクは命の危険だけではなく、お金と時間の浪費を意味します。ですから、失敗をさけるために安全で注意深いプログラムが組まれ、我々はりめぐらされたロープの内側を、あらかじめ仕組まれたコースの中で歩き回るだけです。それが現代に於ける旅であるなら、私は、そのような旅を好みませんな」

ハリラはレモンの酸味がきいたさっぱりとしたスープで、豆とチキンが入っている。

スープを一口飲み、揚げた菓子に蜜を塗りつけたものを交互に齧る。スープの酸味と蜜の味。味覚に対する私の感性が、柔軟であり続けたことを歓ばずにはいられない。私の知らなかった味覚の組み合わせに、私の舌は小さな眩惑を覚える。

「冒険を望んでいらっしゃるのですか」

と私が訊く。「コロンブスのような?」

「ある意味では——。マグレブの男たちの血の中に、それが流れているのでしょうな。しかし真の冒険、真の驚異が、もう確実に失われてしまった現在、宇宙旅行でさえもコロンブスの航海より、はるかにはるかに危険が少ないのですよ、シーナ」

彼もまた私の名を特別のニュアンスで呼ぶ。すると私はそれを初めて聞く名であるかのような、新鮮な歓びを感じる。

「失敗の可能性があらかじめとり外されてしまっているゆえにですね」

と私がうなずく。

「そう。それと戦慄とが」

私は、カメラやビデオカメラを手に右往左往していた観光客の姿を思い浮かべる。エルサレムで、カイロで、バリ島やミクロネシアの島々で。彼らが追っかけ回していたのは冒険のレプリカに過ぎず、真の驚異や戦慄とはおよそ程遠い、安全ロープ内のフロンティアなのだ。それでも自分の足で歩き回るのならまだしも、冷房つきの観光バスか、せいぜいジープを連ねて入っていく砂漠旅行では、絵葉書じみた記念写真が唯一の収穫だ。後にそれを眺め、人にも見せ、あれはすばらしい冒険旅行だった、と、自分だけではなく、人をもだます。

ラマダンの朝食の後、私は彼の書斎に通された。朝食に出た三つのもののうち、ゆで卵はパスした。コーヒーを飲みたかったが、こちらの習慣ではコーヒーは出ないようだった。いつもそうなのかラマダン中だけなのか、それは訊きそびれた。

夥しい書物を収めた書庫は、とても広く、元大使の書斎というより学者の部屋を思わせる。しかし華々しい大使時代を偲ばせる写真が室内のいたるところに飾られている。髪が黒く、髭をたくわえた精悍な男盛りのラフマーン氏が、ハッサン国王と並んで微笑している。名誉ある勲章を国王から授けられている瞬間の誇りたかい横顔。ヨーロッパの国の大使時代の家族と一緒の記念写真。その中で長女のフェトゥマは七、八歳の愛らしい女の子で、弟たちがいかにも良家の躾の良い子供たち然として写っている。

今よりもはるかにアラビックな特徴を顔に刻んでいるラフマーン氏の若い頃より、現在の国籍を超越し穏やかな皺を刻んだ顔の方が、ずっと魅力があると言ったら、彼は気を悪くするだろうか。

彼は一冊の分厚いコーランを私の前に展げる。むろん読めないが、アラビア文字の美しさに、私は息をのむ。

アラビア文字もまた、その言葉のもつ抑揚と響きに似て、同質のものの果てしない繰り返しだ。それは建物の壁や天井に描かれているアラビア模様や音楽とも同質で、執拗な反復作業の向こうに、文明の閉鎖性を打ち破ろうとするエネルギーを秘めているように、思われる。

「それ、おじいさまが自分で書いたんだよ」

と、フェトゥマの末の息子が、そっと私の耳に囁いた。

「これを全部？　自筆で？」

それがコーランであり、写経のようなものであることは察しられた。

「それだけじゃないよ。全部で十冊あるよ」

少年は、それが自分の偉業ででもあるかのように、誇らしげに小さな鼻穴を膨らませ、書棚の一段にズラリと並んだ同じような厚い書物を指さした。

仕事の終った後の夜の時間を使い、十年かけて書いたのだと、ラフマーン氏は控えめに言った。そして私にその時に使用した羽根ペンと、書き損じた文字を削り取るための独得の道具を見せてくれた。

私は驚きと敬意に打たれて、おそるおそる頁をめくっていった。どの頁にもまるで印刷したとしか思えないほど、きっかりとした線で文字が埋めつくされている。そしてどの頁にも文字を枠取る絵飾りがほどこされている。

「それは、僕の母が描いたのですよ」

今度はフェトゥマの長男の方が、そう私に説明した。感情を抑えたクールな表情で。私はフェトゥマを見た。彼女が微笑してうなずいた。写経に劣らず、気の遠くなるようなアラビア模様に、極彩色が細かくほどこされている。それが全ての頁に描かれ、よく見るとどの頁もひとつとして同じ模様の組み合わせはない。父と娘の共同作業のそのどちらも、想像を絶する忍耐を要することだ。その静謐なまでの忍耐力は、どこから来るのだろうか。年の内一カ月間、陽の出ている間は食物を口に入れず、じっと空腹に耐えるというラマダン、アラビア文字、音楽、アラビア模様、その全てに共通しているのは、この想像を絶する忍耐のエネルギーなのである。

「母は画家なのです」と長男が、それが彼の義務であるかのように言った。

「詩も書くよ」と彼の弟が口を添えた。

「そして弁護士の仕事をしています」と長男。彼は少年の顔をもった大人の男だ。父親の不在をそのようにカヴァーしているのかもしれない。

「さぞかし、あなたたちはお母さまのことが誇りでしょうね」

私は、私の娘が私を見る時のどこかひもじそうな光をたたえた反抗的な眼の色を思い出しながらそう答えた。

　私には家庭がない。少なくともここにあるような、穏やかな家長を頂いた敬愛と慈しみに満ちた温かい家庭を、娘に与えてやることができない。私の国では大家族主義はとっくに崩壊し、私たちは賢く穏やかに年取ってゆく見本をなくしてしまったのだ。子供たちの両親である私たちは、道しるべのない曲りくねった道路を、手探りに行くしかない。手をたずさえてというにはあまりにもお互いから遠い心で。共通の言語は、相手を批難し罵(ののし)る時にだけ放たれ、あとは黙々と押し黙る。

　言葉は、相手に自分をわからせ理解させようと望む時にだけ、雄弁に使われるのだ。

全てを諦めた時、沈黙の幕が降りてくる。

なぜ人は、相手に自分を押しつけ自分をわからせようとやっきになるばかりで、相手をわかろうとして、少しは聞き耳をたてないのだろう？　全ての結婚における失敗は、そこにあるような気がする。時には二人が同時に喚きあう。そしてどちらの声も相手に届かない。諦めと絶望から、どちらも口を固くつぐむ。声は更に相手に届かない。

フェトゥマの結婚がどのようなものであったのか、私は想像もできない。コーランの掟に支配されるイスラム教徒に、果して離婚が可能なのかも。私はフェトゥマを眺める。雌鹿のような賢い、けれども哀しそうな大きな澄んだ瞳を。

「私は小説をひとつ書いたの。今、二冊目を書いているわ」

と少し後で彼女が私に言った。

「最初の小説は本になったの？」

すると彼女は首を振った。

「たくさんの削除を出版社が要求したのよ。でも私は一行たりとも削りたくなかったの」

ラマダン中の二度目の食事が始まっていた。時刻は午後の十一時。〝朝食〟の食卓が三人のメイドたちによって運び去られ〝昼食〟の食卓が新たに運びこまれる。

「それはどんな小説だったの？」

「自分のこと。私自身の心に起きたこと」

「今は？　どんなものを書いているの？」

「やはり自分のこと。その後に私の心に起こったこと」

フェトゥマは淡々と語る。白い指が、表面一面に粉砂糖のかかった鳩肉のパイの一片をつまみ上げ、パイ皮も粉砂糖も少しもこぼさず、口へ運ぶ。私には、指で食事をする自信がなく、フォークとナイフを使ったので、パイ皮が無惨に崩れ、砂糖がぱらついてスカートを汚した。

なぜ、食事用の温かいパイに、砂糖がかかっているのだろうか？　私の舌がその不思議な取り合わせの味覚に当惑する。そこにあるべきではない甘さ。鳩肉の温かいパイと、粉砂糖の奇妙な冷たい感触。二つの異った性質の不可思議な融合。長いマグレブの歴史の中の対立する文化の融合に似ていなくはないか？　オクシデントとオリエントとの。カトリックとイスラムとの。素朴で暗いセピアの文化と、極彩色のアラビア文化との。厳しいまでの貞淑さと裏腹の淫靡さとの。それは更にその後、真夜中の二時からくりひろげられた夕食のメニューでも、同じことが言えた。干しぶどうや干したプラムと共にレモンで煮込んだチキンの料理。醬油文化とは全く異質の、その甘さに私はへきえきする。それに短時間の間に集中する食事に、私の胃はとっくに悲鳴を上げていたせいもあったかもしれない。

それはともかく、私はフェトゥマに質問する。

「この国では、まだ言論に制約があるの？　たとえそれが文学上の表現でも？」

「ずいぶん改善されてはきているのよ」

指についたわずかな粉砂糖を嘗めながら、彼女は静かに答える。この家の人たちの言動は、なんと他のアラブの人たちとは違うのだろう？　空港や、ホテルのロビーで耳にしたマグレブの人たちのアラビア語や態度は、何事が起こったのかと思うくらい攻撃的だった。

もっと後で、マラケシュのスークの中を歩き回っていた時、写真を撮れと私に命じたけばけばしい赤い衣装の水売りは更に理不尽に攻撃的だった。陶器屋から、あるいは革製品を売る店、靴屋、カーペット屋からかかる客引きの声には、ほとんど脅迫の響きがあり、誘い込まれるどころか私を逃げ出させた。

赤んぼうに乳を含ませながら執拗に私に小銭をねだってついて歩いた母親の、私の肩や腕に触れるその手は、物乞いのおずおずした手ではなく、私の皮膚にくいこんだ女の指の爪あとが白く刻まれるほどに、強烈だった。時々狭いスークの道を占領してやり合っている男たちは、もしかしたらただの世間話をしていただけなのかもしれないが、今にも殺し合いになるのではないかと怖れるくらい、殺気だって私の耳に響いた。

その同じ言語が、ラフマーン家ではオアシスに流れこむ小川のように、サラサラと、あるいは、オリーブやユーカリの葉の間を柔らかく吹きぬける風のように、心地よく聞こえるのであった。そして彼らが、香木のたきしめられた広い屋敷内を、食後の消化を助けるための運動に二人、三人と連れだって歩き回る時の昂然とした様子――裾長のジュラバの裾を波のようにうねらせて、カカトをつぶしたスリッパのような靴の足音もたてず――は、実に優雅のひとことにつきる。

彼らはアラビア語以外にフランス語を流暢に話し、英語も日常会話程度には話せた。ジュラバやカフタン姿の家族(ファミリー)の間を、年老いた蝶々のように、執事(バトラー)が飲みもののサービスに余念がない。彼だけが――私をのぞいて――ヨーロッパ製の礼服を着ている。にもかかわらず、その執事が誰よりもアラブ人種の特徴を露呈している。ファミリーたちは、アラビアの衣装を身にまとった、アラブ人の役柄を見事に演じているシェイクスピア劇の俳優たちのように見える。

「二作目は出版のめどはあるの？」

と私はフェトゥマに尋ねる。

「ええ、そう思うわ」と彼女が答える。「今度のは物語風に変えてみたの。塔に閉じこめられたアラビアのお姫さまの物語――」

「お姫さまは、塔から出られるの？」

するとフェトゥマはニッコリと笑う。

「もちろんよ」

「物語だから？」

彼女は眼を上げて私を見る。私たちの視線が絡む。

「とにかく、離婚したのよ。それだけでもこの国では大変なことなの」

私はうなずく。

〝夕食〟は真夜中の二時に始まる。なぜこの屋敷のほぼ中央にある客用の大広間に、ピンポン台が置かれているのか、その理由はいずれ明らかになったのだ。ピンポンは、ラマダンの間の、食事と次の食事の間の腹ごなしなのだ。

男たちやフェトゥマの息子たちがピンポンに興じ、女たちは静かにブリッジを楽しむ。

ピンポン台を飛び回る男たちのひるがえる裾を眺めているうちに、私はたびたび訪れる比叡山の大阿闍梨(だいあじゃり)のことを思った。十二年に及ぶ荒行を修めたその密教の超人は、荒行ゆえにすべての無駄なものをそぎ落した、実に淡々とした白い鳥の姿を私に彷彿とさせた。おまけに彼は、まれに見るような美貌で、四十一、二という男盛りでもあった。男盛りにしてストイシズムの底に自らを鎮(しず)め、高ぶることもなく、時々世俗的な冗談など口にして、信者の緊張を解き、笑わせたりするのであった。

私が彼を好きになったのは、その美貌ゆえだけではなく、そのストイシズムゆえでもなく、並みの男など足元にも寄れないほどの荒行を修めた肉体の強さと精神力でもなく、その眼の中の、少年のような好奇心と、いたずらっこを思わせるユーモアの色とであった。

男は強くなければならぬという完璧な見本がそこにはあった。あまりの荒行ゆえに、外見上はほっそりとした白い鳥のようにしか見えないその肉体が、実はサイボーグのように鍛えられたものだとは、信じがたいことだが。そして真に強い男だけがもつ優しさ。

当然高い壇上に坐り、おごそかに説教をたれていれば、それで充分に事はすむのだ。けれども、彼はひょいと壇上を降り、ちゃめっけたっぷりに言うのだ。たとえばこんなふうに。

「シナさん、ピンポンをしようか」

とりまきの選ばれた信者たち二十人ばかりと共に、雑談をしていた時だった。みんなかしこまり、きちんと膝をそろえ正座していた。私だけがとっくに正座をあきらめ、柱に寄りかかり、膝を両腕で抱え——つまり非常識なほど行儀の悪い姿勢で——とりまき連中のひそかなる顰蹙をかっていた。

彼がそうしていいと言ったから。初めから私には正座を続けることができないと見抜いて、シナさん足を投げだしなさい、と彼は私に言った。初めから信仰する心など持っていないことも、とっくに彼は承知だった。

ピンポンをしようかと言いざま、彼はすでに立ち上がり部屋を出て行く。白い鳥がふわっと移動するように。私が続く。女たちの驚愕と羨望と嫉妬のまなざしに背中が灼けつくようだ。美貌の阿闍梨のとりまきは、女たちにきまっている。

そんなふうに、彼は死ぬほど退屈な雑談を不意に切り上げる。ほとんど気まぐれに。その気まぐれさえも神の摂理にくみこまれている。あるいは信仰の。あのような修行を修めた者の特権。あるいは美貌であることの特権。

そうなのだ。私と彼とは気まぐれで結ばれた親友なのだ。彼はそれを直感で見抜く。私も同じだ。

ピンポンをしようという彼の気まぐれに、私も気まぐれで応じる。そもそも比叡山を訪ねたそのこと自体が気まぐれなのだ。比叡山にあなた好みのきれいな坊さんがいるよ、と友達に教えられ、荒行の過程を折りにふれ記録した写真集を見せられた。

九日間に及ぶ不眠不休の断食は生死を危くする。その最後の過程とおもわれる写真を見た。それはほとんど生き仏の姿であった。それはほとんど骨であった。皮と神経と骨だけで成り立っていた。にもかかわらず、鳥肌がたつほど美しかったのだ。

彼はついに死ぬことなく、その命がけの断食から生還した。あの時の黒々とした絶望をたたえた眼孔の色を、一生忘れることはないだろう。それから私はそうした全ての修行を修めた後の、彼の写真も見た。骨と皮のあいだにうっすらと肉をつけ、眼にちゃめっけをたたえた高僧の姿があった。このひとに出逢いたいと思った。そして私たちは出逢った。私は自分がしたいこと、欲しいものを必ず手に入れることができる。自分自身を与えることによって。

そんなふうにして、比叡山を訪ねるようになった。気まぐれに。時には神妙に堂に入り、彼の読経を聞き、聖水をふりかけてもらい聖木をたいてもらうこともあった。そうするのは、彼の声を聞くのが好きだったからだ。それは微かにしゃがれた塩辛声で、美声ではなく、そして私はその塩辛声がとても好きだった。彼の読経は低く、時々力強く、淡々と微風のように堂の隅々までいきわたり、どこへともなく吸いこまれて消えていく。

私は眼をとじ、その声を聴くというよりは、全身の毛穴という毛穴に吸いこませる。そしてその声をたっぷり吸いこんだ後、私は実に満たされ、平和で幸福なのだ。その声は、ほとんど肉体的な愛撫なのである。

時々は堂に入って神妙に読経を聞くが、ただ、彼の部屋に行き、彼の傍に足を投げだしてあるいは膝を抱いて坐っているのが好きだ。彼を眺めているのが好きだ。たまに、人がいないと、私は畳の上で横寝の姿勢を取り、座ぶとんを二つ折りにして、片肘をつく。つまり猫のように寛いでしまう。そしてとりとめもなく喋る。

彼もまた、私が傍にいるのが好きだということがわかる。彼を眺めている私が好きだということが私に感じられる。横になって、とりとめもなく、世俗話をするのに耳を傾けるのが好きなのだ。私が情事のことを喋り、旅先で起きたことや男たちとの出逢いについて話すのを聞くのが、彼は好きなのだ。私の気まぐれが。

「今度インドへ行くのよ」

と私が言う。

「インドで托鉢をした時ね、ひどいめに逢った」

と彼が言う。「あれは下痢なんて生易しいものじゃなかった」

「じゃ托鉢は止めにするわ」と私が笑う。ふと思いついて気まぐれに言う。「一緒に行くことはできませんか？」半分本気だ。

「あなたと旅をしたら楽しいだろうね」

そして私たちは黙りこむ。もはや可能性を探りはしない。お互いにあまりにも違う世界に属しているのだ。そのへだたりが一瞬、クレイターのように、あるいはクレバスのように私たちの間をへだてる。心だけでなく躰全体が痛くなるような諦めの感覚が私を襲う。彼の方にどんな感覚が生じたのか私は知らない。その時彼が訊いたのだ。「シナさん、ピンポンができるか」と。とても唐突に。ピンポンなら得意だ、と私は彼と同じくらい明るい声で答えた。中学生の時、私はピンポンの選手だったのだ、と。

それから、私たちはしばしばピンポンをやるようになった。沈黙が生じ、それが濃くなると、彼はピンポンをやろうと提案する。

ピンポン台はお堂から三つの長い石段を降りて行った境内の底にある、プレハブ風の建物の中にポツンと置いてあるだけだ。

三つの急な石段を、私は靴（ハイヒール）を脱ぎ、転げ落ちないように注意しながら降りていくのに、彼はふわっと一気に降りていく。

それはほとんど地に足などつけていないようななめらかさで、白い衣の裾を風になびかせ、低空を飛ぶコウノトリを私に思わせる。私が一つ目の階段のまだ半分も行かないうちに、彼は三つの階段の底に涼しげな表情で降り立っている。

ピンポンをする時、彼はスニーカーをはく。白い着ながしの僧衣に、素足でスニーカーをはいた彼を見ると、私は笑ってしまう。

「そんな格好を、他の女の信者たちに見せてはだめよ。ファンが減るから」と彼をからかう。

だが、ピンポンの腕前は抜群だ。最初私は彼が左ききだと思ったのだ。ラケットを左手で持ったから。しかし後で気がついたのだが食事の時箸を使うのは右手だし、字を書くのも右手だ。彼は左手でさえ、楽々と私を打ち負かしてしまう。

ピンポンでは私はちょっと自信があるのだ。私の娘も夫も私には勝てない。時々遊びで試合したほとんどの人たちより、私の方が強かった。プロや選手だった人は別の話だ。遊びで、私を負かしたのは阿闍梨さんただ一人だった。それも左手で。

彼は私を打ち負かすことのできる、唯一の男かもしれない。私はそう思う。ピンポンのことだけを言っているのではない。自惚れととりたければ、そうとってもいっこうにかまわないが、今では私を完璧に打ち負かせる男など、どこにも存在しないような気がしているのだ。専門職のテクニックの分野は別にして。

私はそのことを彼に伝えたいと思った。いざその段になると私は困惑した。私のその時の思いを伝えるための共通の言語がないのだった。あなたに打ち負かされて私はうれしいのだ、と、それを伝える言葉を私は思いつけなかった。彼は私の何倍も早く走り、何十倍も遠くまで行ける。そして彼は私よりずっとずっと厳しい苦痛に耐えられる。彼は私より——。

それでも一緒にインド旅行をしたいという願いをあきらめ切れずにいた。別の時にもう一度だけその話題をもち出した。

比叡山にたてこもって、下界を見ないでいいと思うの？　樹木の中に忽然と現れる太古の仏像を探して歩きたいとは思わない？　あそこに降る熱い雨に打たれたくない？　胸像のようにひとつの姿勢を一日中とり続けている行者たちを眺めたくはないの？　あの人々のエネルギーと交わり、もう一度托鉢をして歩くのには、あなたは偉くなり過ぎてしまったわけなの？

私は何の権利があってそんなにも傲慢なことが言えたのだろう？　もちろん権利などない。あるのは友情だけだ。

彼は答える。あの修行で、僕は地獄と天国の間にあるもの全てを見たのだ、と。何百何千回となく見たのだと。彼らと交わり、彼らの声を聞き、話をしたのだ、と。僕はインド中を何十年もかけてすでに歩き回ったのだと。インドは僕の外にあるのではなく中にあるのだ、と。そして今もそうなのだ、と。

「ただ――」と彼は言った。「シナさんと僕とが連れだってあの地を歩きまわる姿だけは、どうしても想像しようがないんだよ。珍道中だよね」と笑った。

「わかった。あなたは下痢が恐いだけなのよ、そうなんでしょう。白状しなさい」

「そうそうあれは恐いよ、インドの下痢は」と彼は急に真面目な顔をした。「何もかもが流れ出てしまうような気がした。内臓もリンパ液も何もかもね」

それからまたピンポンが始まった。

ラフマーン氏の自作の詩を朗読する声が続く。彼が詩人であり、自作を本にしたことを娘のフェトゥマの口から聞かされた時、是非読んで聞かせてくれと私が頼んだのだ。

彼は私の再三の懇願に負けたようなかたちで、書棚から一冊の白い表紙の詩集を取り出して来た。

すぐには開かず、両手の間にそれをはさみ、うつむいていたが、やがて顔をあげて私に訊いた。

「どれを読みましょうかね」

それは当然アラビア語で書かれてあるものだということはわかっていた。

「風の詩がありますか？」

「風についての詩なら、あります」

彼は迷いのない手つきで、ある頁を開いた。のぞきこむと、右から左へ流れるたくさんの小川のようなアラビア文字が見えた。

「タイトルは風ではないのです」と彼が言った。「詩の中に風という言葉もひとつもありません。ただ、言葉のあいだに風が吹いている――行間といっても良いのだが――そういう詩でもいいですか」

「是非朗読して下さい」

と熱意をこめて私が言った。アリ・ラシード・ラフマーン氏が読み始めた。

その声を聞きながら、私は思ったのだ。言語が一体いかほどの内容を伝達するのに役立つものかを。もしかしたら、言語は我々から何かを奪い去る役割も演じてきたのではないかという疑問が生じた。そう思わせたのは、彼の声であり、抑揚であり、その響きから生ずる深い衝撃であった。その響きそのものによって私は自分が摑まれたのをはっきりと意識した。たったひとつの単語すら理解できないゆえに、そのものの響きの欲するままに自分が支配され、摑まれ、その響きの翼に乗って連れ去られる。連れ去られるのに身をまかせる。ラフマーン氏の抑制のよくきいた朗読の声が続く。韻をふんでひとつの行が終り、そのまま次の行へと流れていく。韻はリズミカルというよりは、粘つくような実体となって私の内部に残留する音の調べとなる。

そして私の耳ではなく、五官が一体となってその調べに聴きほれるうちに、耳では理解できず意味もなさなかった言葉が、私の五感によって翻訳されつつあるのがわかるのだ。それはめくるめくような発見であった。

それらは意味を生ずることなく、私の内部に光景や情景として鮮明に浮かび上ってくる映像詩となったのだ。更に喜ばしいことには、言葉のもつ含みや仄めかしをさけることによって、余分に拾い上げられることも、無意味に刈りとられることもなく、ありのままの心象風景を私に見せてくれるのであった。

そしてそこに、風が吹いているのを、私は知ることができたのだった。サハラ砂漠の彼方から砂塵を含んだ熱い風が吹いてくる。わずかに黄色味を帯びた熱風が、カスバの羊の腸のように曲りくねった全ての路地を通りぬけていく。ナツメ椰子の葉を揺らし、その熱で緑色だった葉を焼き枯らしながら。人々を眠らせず、長い熱帯夜をもたらし、いつまでも続くコーランの祈り声のように、あるいは叫び声のように、ハムシンは吹き続ける。

ラフマーン氏の朗読が続く。明るい端正なモスクの、オアシスを思わせる中庭が見える。カスバの湿った仄暗い迷路から出て、夢から覚めたような気持になる。なめしかけて吊された羊の皮の間を抜け、タンニン質の汁が発散する匂いをまき散らし、香料店のサフランや唐辛子の粉をまき上げて、ハムシンは更に路地の奥へ奥へと吹きこんでいく。その中で私は道に迷った迷子だ。出口を探して歩き回るのだが、何度も何度も同じところに出てしまい、どうしても行きつけないでいる。私は途方にくれる。強いハッカの匂いや麝香草(じゃこうそう)など、嗅覚はおろか方向感覚までうろたえさせる匂いの中で私はついに立ちすくんでしまう。

そこに風が吹いてくる。私をとりかこんで閉じこめていたあらゆる匂いが、それで吹きとばされる。

風は私に通路を与え、方向を教える。風に導かれて進む。そして行きづまり。

　完璧なカスバの行きづまりで、私は風と向きなおる。鼻や口や耳や毛穴の全てに風が吹きこむ。出口を失った熱い風が、私の中に吹きこんでくる。そして内臓を焼く。私の中身は焼きつくされて空洞となり、風の通り道になる。私の中を風が吹き抜ける。永遠に。ネイザン、ついに出逢ったわ。探していた風に。カイロでもイスラエルでも出逢えなかったハムシンに、ここカサブランカのラフマーン氏の家で。風は、彼の声の中にあった。風は言葉だった。私の内部で翻訳された未知の光景の中に、それがあったのだ。それは詩でもあった。言葉の意味を知らないゆえに、刈りこまれなかったあるいは増殖されなかったイメージの中に吹いていた。

　風が止んだ。そして朗読が終ったことを知った。時計を見ると午前三時半だった。何日も一睡もせず歩き回った旅人のような疲労感を覚えて、〝風の詩〟の頁にこよりを一本はさんだラフマーン氏の詩集を小脇にはさんで、私は人々に別れを告げた。

　執事が車でホテルまで送ってくれた。歯だけ磨いて、化粧落しまでには手が回らず、ベッドにもぐりこもうとした時だった。丸々二十四時間眠っていなかった。

　ベッドは清潔で、シーツはひんやりとしていた。片側を三角に外し、そのひんやりとするシーツとシーツの間に躰を滑りこませようとしたまさにその時、その声を聞いたのだった。

それは男の叫び声だった。たしかに叫んではいるが、普通叫びというものが持つ響きではなく、抑制のきいた大声だった。

澄んだ高い調子で、大きな抑揚にたゆたいながら、また引きかえしていっては寄せてくる波のように、夜の砂漠の大海原を越えて、押し寄せてくるみたいだ。

私は窓を開く。外はまだほとんど闇の中だ。声が窓から室内にある乾いた質感をともなって、流れこんでくる。

日の出前の冷気に鳥肌をたてながら、声のする方角の暗闇に眼をこらす。どこかにあるモスクの塔の上から、唱拝師がコーランを唱えている声なのはまちがいない。それと同じ声をエルサレムでも聴いたし、ルクソールでも耳にした。スリランカの港町沿いを歩いている時に、客の招びこみをやっていた男たちの姿が急に消えてしまったと不審に思った次の瞬間、どこからともなく聞こえて来たのは、まぎれもなく「アッラーは偉大なり」と告げる唱拝師の叫びであった。

けれども、長い不眠の一日の終り、暁前の静けさを破って湧き上ったその声の、意表をついた神秘性はどうだ？

私の皮膚を覆う鳥肌は、暁の冷気のせいばかりではないのだ。生理的な戦慄によっても、もたらされたものだった。そして、ついに暁の中に、叫びの教会ともいうべき、神をめぐっての聴覚上のアラベスクを描いて観ることが出来たような気がした。暁の声は増殖しながら続いていた。そこには確かに何かをさしせまってうながすような、要求の強いエネルギーがあり、それが私をかりたてる。

しかし私には方向がない。かりたてられても、何をすべきかわからない。おそらく床に坐りメッカの方角に向いてお祈りをするべきなのだろう。声がかりたてるのは、コーランを唱えよということなのだろうと思う。

私はそうせずにはいられない。何かをせずには。祈らずには。

けれども、祈りの言葉を知らない。アッラーは偉大なりという文句が浮かぶが、私の口はそれを唱えるために開かない。私は閉めだされる。叫びの教会から。

比叡山のお堂の中でも私は阿闍梨や大勢の信者たちと共に斉唱することが出来なかった。祈らねばならないようなことは何もなかった。何もないのに祈ることは出来ない。与えるものがないのに手を差し出せというようなものだから。祈ることが出来ないので、ひたすら頭をたれているだけだった。

カサブランカのホテルの一室では、更に孤独だった。更に閉めだされ、そして寒かった。私は両手を胸の前に交差させて自分自身の肩を抱きしめながら、少し震えていた。

やがて声は唐突に止み、その直後に夜明けがゆっくりと始まっていった。

2　風の街

私は風を探すのを止めた。もうその必要はなくなったのだから。私が求めていたものはアリ・ラシード・ラフマーン氏の詩の中に吹いていた。朗読するラフマーン氏の声の中に。

私は今ではその詩集を所有している。風を閉じこめた詩集を。その頁をすぐにでも開くことができる。

イスラエルのネイザン・モッシャに電話をして、そのことを告げたいと思った。けれどもカサブランカではそうしなかった。滞在は二昼夜で短く落着かなかったし、することが一杯あった。

しかしそれは言いわけで、マラケシュに移って来て、ラ・マムニアのモロッカン・スウィートルームに収まった後も、私は電話を避けている。電話を見ようとさえしない。

私がここにいると言ったら、彼は来るだろうか？ テル・アビブからわずか三、四時間の距離なのだから。

私はここで過ちを犯すわけにはいかない。ここマラケシュという意味ではなく、この時期という意味だ。私のためというのではなく彼のために。私は彼に対して責任がとれない。

過ちについてなら、すでに私は犯してしまっていたのだ。だから、ここで再び同じ過ちを繰り返すわけにはいかない、と言う方が正確だと思う。

私はニューヨークへ行った。初夏のニューヨーク。そこでネイザンに再会した。そのために出かけていったのだということを認めよう。

それだけが目的ではなかったが。ニューヨークについて書く必要があった。そのための取材という大義名分はつけられる。けれども私の心の中を占めていたのは、彼との再会に対する期待であった。でなければ、あの季節にニューヨークに行く必要などなかったのだから。

しかし今から思えば、五月の終りのあの季節でなければならなかったということがわかる。その時だけ彼が商用でニューヨークにいたからという理由もあったが、あの時偶然からそうなっていった他の男との出逢いのために、あの時期をはずすことはできなかった。

運命というものの、もろさ、はかなさ、その危さといったものに、私は啞然とする。もしもあの時雨が降っていなければ、私は決してその男とは出逢いはしなかったのだ。ネイザンのことではない。もう一人の別の男。

雨が降って車が拾えそうもなくて、私たちは七、八人で一緒に、食事のあとも長々とコーヒーとブランディで、西五十四番地とマジソン通りが交錯するあたりにあったそのスシバーでねばっていた。

そこに彼が現れたのだ。その男が。まだ若いのに微かに猫背で、その若々しい顔立ちとはふつりあいなある種の老成と倦怠の色を滲ませた男が、とても優雅な足取りで、もう一人の男と共に入って来たのだ。

一緒にいたテーブルの男の一人が、彼に声をかけた。しばらくですね、ニューヨークには今回どれくらい？　よかったら一緒に坐りませんか。面白い人たちを紹介しましょう。

そして私たちは正式に出逢うことになる。男は始終穏やかな微笑を浮かべながら、全員に名刺を配り、私はその名前もろくに読みもせずバッグの中に落しこんだ。ホテルルームに戻って、その名刺を紙くず籠の中に捨てなかったのは奇蹟だ。ほとんどの名刺が私のもとではその運命をたどるのに。その時はまだ私はその男に関心を抱いていなかった。前述の描写は従って、その最初の瞬間の私の印象ではない。後になって彼とつきあうようになってからの私の意識を通過してからの印象なのだと思う。

だから、名刺をニューヨークから持ち帰ったことも偶然なら、そのレストランの後、場所を変えてどこかで飲み直そうという話に乗ったのも、全くの気まぐれだった。なぜならピエールのバーで飲もうということになったからだ。ピエールはネイザンの常宿だった。その時も彼はそこに部屋を取っていた。私が滞在したのはプラザ・アテネだった。

で、ピエールのバーで飲んだ。総勢十人を越えていた。色々な人たちがいた。ニューヨークで帝王学を学んでいる大企業の御曹子もいた。建築家もいた。二人のゲイのアメリカ人のイラストレーターもいた。舞台関係者や、新聞社の支局の人間もいた。女も二人いた。一人は名の知れたグラフィック・デザイナーで、もう一人は手広く輸出入業をしているという触れこみの美人だった。それと後から加わった二人で、その時はそれぞれの正体を知らなかった。名刺がバッグの底にあるのさえもう忘れていた。それとネイザンと私だった。

私が帝王学を学習中のなかなか魅力的な青年の、祖母に関するある種の伝記を以前書いたことがあって、その青年と知りあいだったのだ。ニューヨークに来ていることを知らせると、私のために面白そうな顔触れをそろえてくれたというわけだった。たしかに愉快だった。私はピエールでマルガリータを最低六杯は飲んでいた。ネイザンがやけに楽しそうだね、と皮肉を言ったのを覚えている。私はネイザンの心をすでにつかんでいたし、そのせいで自惚れて良い気分でもあった。そのことも私のその夜の陽気さを大いに助長していたことは確かだ。そして私は酔った。

「もう充分だろう、シナ、引き上げよう」とネイザンが私に耳打ちをした。彼の部屋へ行ってから始まるかもしれない情事のことを一瞬思った。躰がかっと熱くなったが、私は抵抗した。なぜかわからないが、そこにいる人々に、私たちがこれからそういうことをするのだということを感じとられたくなかった。あまりあからさまには、という程度だが。

「あたしはもう少しいるわ。おやすみなさい」

満面に微笑を浮かべるというのは、あの時の私のことを言うのだろう。ものすごく愛想よく、しかし女王の命令のように決定的に、私はそう言った。笑いながら。

彼も笑いながら立ち上った。そして躰をかがめるとおやすみのキスを私の頬にさりげなくし、ついでに「後で上ってくるね？」と念を押した。

「ええ」と答えた。彼は全員に向かって笑いかけ、そして一足先に歩み去った。

すぐにみんなは彼の不在を忘れた。私も忘れた。ニューヨークにおける彼らの生活がこまぎれの情報となって、私の頭の中にインプットされていく。私が質問し彼らがそれに答える。彼らが私に質問する。最近の収穫は何かと。知識よ、と私は答える。生きた知識。自分の眼で見て確かめた情報。たとえば？　と誰かが訊く。その愚かさの微塵もない疲れて老成した、実に魅力的な顔を私は酔いのベールの向こう側に見ながら答える。たとえば、ユダヤ人が家を建てる時、どこか必ず一ヵ所未完成にしておくのだということ。そしてそのどれもが入口をメッカの方角に向けて作るのだということ。なぜなら彼らの血は決して祖国を忘れていないからだ。イスラエル建国の前の話よ。でも今でもそうだと思うわ。

ユダヤ人に特に興味があるようですねと、倦怠の滲んだ声でその男が訊き返した。どうして？　と私。さっきの男はユダヤ人だよね、違う？　私はそうとも違うとも答えない。黙っていることでネイザンを傷つけたような気がする。あの眼はそうだよ。どういう眼？　何も信用していない眼。

私はネイザンをそれ以上むきになって擁護しない。擁護してやらないことで彼を見捨てたような気がする。上の階のベッドで、私を待っている彼の姿が眼に浮かぶ。ユダヤ人かどうかペニスを見ればわかるはずだけどね、とその男が言う。かまをかけているのだと思う。割礼している男が全てユダヤ人だけとは限らないわよ、でも彼はユダヤ人よ。私はひややかにそう答える。

ピエールのバーが閉店になり私たちはそこを追い出される。それを潮に何人かが引き取り、私の若き帝王もその一人だった。もうどこのバーも開いていないからよかったら僕の部屋で飲まないか、と男が言い、まだ残っている三、四人がその言葉に従った。私はどうしたら彼らをうまくまいて、十四階のネイザンの部屋まで上って行けるかと考えていた。

「来ない？」

とその男がごく自然な感じで右手を差し出した。それとも、さっきのユダヤ人の部屋へ行く？　男は無言のうちに、その眼で尋ねる。

私は奥歯を噛みしめる。次の瞬間男の手に自分の左手をゆだねる。あの一瞬、私はプラザ・アテネの自室に戻っていくこともできたのだ。あるいは堂々とネイザンの部屋に上っていくことも。ほとんどそうしかけていた。が、選択がなされた。自分が一番選びそうにもない選択をした。ひとつには意地と反抗心から。ひとつには好奇心から。そしてほとんど訳のわからない理由から。

気がつくと、夜が明けかけていた。そして気がつくと私はその男のスウィートルームで二人きりだった。他の人たちが何時消えてしまったのか、ぜんぜん気がつかなかった。

暁の仄白さが忍びこむ室内に、グラスの中で溶けかける氷の驚くほど澄んだ音が響いた。三十年もののバランタインのボトルが一本すっかり空になり、別の一本も半分ほどに減っている。

「それ、私たちで空けてしまったの？」アルコールの霧の底で、妙にしんとしたものを感じながら、私がとても長い沈黙から抜けだして訊いた。それがどんなに長い沈黙であったのか、私の掠(かす)れた声が証明する。

「らしいね」

と静かに彼が答えた。彼もまた、しんと冷えたものを胃の底に抱えているのだ、ということが私には感じられた。

「今夜私、何か喋った？」記憶があるところから完全に途切れていた。「それとも眠っちゃったのかしら」

彼はうっすらと微笑する。

「私は何を喋ったの？」

「主として風について」

そして私は微笑む。それなら大丈夫だ。風についての話なら誰も傷つけない。でもなぜ、そのことを彼に話したのだろう。私はごく少数の非常に狭い範囲に限られた人にだけしか、心の秘密は打ちあけない。風は私の心の秘密なのだ。私は、見知らぬ男の顔に焦点を合わせようと努力する。

男を年以上に老けて見せると同時に、彼を魅力的にしている口の脇のくっきりとした皺。愚かさの片鱗も見あたらない眼の重い輝き。優雅で美しい手。きれいな骨を感じさせるズボンの下の長い脚。絹のヘンリーネックのシャツにたくさん皺が寄っている。上着はソファに脱いで掛かっており、紫の濃いサスペンダーでズボンを吊っている。ひきしまった足首。実にエレガントなイタリア製の靴。

額に乱れた髪が張りついている。私はふと手を伸ばし、指でその乱れを直してやりたいと思い、実際にそうする。自分でも驚くほど自然な仕種で。彼が微笑する。

「私はあなたのことを全然知らないわ」

少年の面影が彷彿とするその微笑に向かって、私が呟く。

「そのうちに、少しずつ分っていくよ」と彼が答える。その答えが私を歓ばせる。

「僕はあなたを、少し余分に知っている」

つまり風について。彼の顔が近づく。微かに開いた口が私の唇に重ねられる。私は彼の上唇の少し内側を味わう。接吻はそれほど長くない。唇が離れる時、透明な糸を引く。

「帰らなくては」と私が囁く。

「では東京で」と彼が言う。

彼はどうやって私を探し出すのだろう？　そして私は？　たった今、暁の中でキスをした相手の職業はおろか名前さえも知らないのに？　ハンドバッグの中の名刺のことなどすっかり忘れていた。私は立ち上がり、酔っていることなど素振りにも見せまいとして、慎重にドアに向かう。どこに泊っているのかと私の背に彼が訊く。プラザ・アテネよ。ピエールへは行かないの？　そう、ピエールへは行かない、私は今日発つの。あと三、四時間後に。胸が痛む。ドアを引いて外に出る。長い廊下。シルバーグレーのカーペットが私に〝ムーンリバー〟を連想させる。海面に映る月の長い影を。急激に酔いが襲ってくる。私は海に落ちないように、信じられないほど真剣に銀色の細い河の上だけを歩く。もしも踏み外したら、何千メートルもの深海に呑みこまれるのだ。めまいがする。

今でも、私は、夜の海面に敷かれた、銀色の細い月影の上を歩いているような気がする。ラ・マムニアのスウィートルームのバルコニーから眺められる光景の美しさが私を二つに引き裂く。今この瞬間、それを共に眺める人間が不在だという事実によって、私は引き裂かれる。あまりにも美しいものは私を悲しくさせる。

赤い町。日が暮れるところで城壁の赤さは薄れつつあった。その内側にはりめぐらされた夥しい数の路地は、外からは見えない。あんなにも複雑な迷路がメディナの中に存在すること自体が、すでに信じられない。しかしそれらは確かに喧噪と共に存在し、人々が群がり歩いているのだ。私は平屋根に瞳をこらし、その屋根の下にくりひろげられている混沌と活気とを自分の中に呼びさまそうとするのだが、それは出来そうにもない。あの途方もない営為と何万という人々の顔を底に沈めて、赤い町を静寂が覆いつくす。

アトラス山脈が沈みかける太陽の最後の残滓の中に、くっきりとした暗い輪郭を浮かびあがらせる。山がとても近く見える。町のすぐ背後に迫ってくるような、光の屈折による錯覚が生じる。山と町の間を埋めるのはナツメ椰子のプランテーションだ。赤い城壁が風景を二分している。町の風景と土砂漠の風景とに。町はナツメ椰子と密集した赤い家々の屋根から成り立ち、土砂漠にはオリーブの樹が点在する。町から遠のくにつれて、オリーブの樹木の間が大きくなり、まばらになり、ついに皆無となるあたりに、赤い土埃が上っている。竜巻だ。

竜巻は土砂漠のいたるところで、日に何度も起こる現象だ。私はホテルのバルコニーからそれを数回目撃している。

それは、町の中に点在する礼拝の時刻を告げるための光塔に似ている。竜巻は砂漠の風の光塔だ。

礼拝を促す大音声が響き渡ったのは、一時間ばかり前のことだ。そしてマナーラは声を発する灯台。人々に祈りの方角を教える。

エルサレムの〝嘆きの壁〟に向かって、躰を打ちつけるようにして、祈っていた奇態な人々。祈るというよりは、何かを言いつけているとしか思えないほどに攻撃的な姿が思い出される。

あまりにも饒舌すぎるユダヤ人の祈り。祈りは（あるいは告げ口といってもいい）泉水のように滾々と彼らの口から湧き出て来ては、〝壁〟の割れめへと吸い込まれて行く。

躰を前後に揺すり、ただひたすら、嘆いている人。額を打ちつけ、壁の裂けめの中に喚き散らしている人。それらの祈りの姿勢は、ここイスラム教の人々と天と地ほども違う。

アッラーに向かって日に五度額くマグレブの人々には、自己憐憫の片鱗さえもない。あの時エルサレムの日射しの中で私の胸をむかつかせたのは、壁に向かって嘆く人々のべたつくような自己憐憫の情であった。彼らは一瞬の休みもなく、自らを憐れんでいるみたいだった。ネイザンはその直後私をある建物の中に案内した。それに近づいた時、それが何であるかわかりもしないうちから本能的な嫌悪感に鳥肌が生じた。私はそれが〝屍体〟の展覧会場であることを、まだ中に入らぬうちからさとって躰をこわばらせた。

「ネイザン、これを見なくてはいけないの？」

重苦しい憂鬱で口の中が粘(ねば)っていた。歴史上の残虐行為についてなら、十歳の時に読んだ『アンネの日記』以来、うんざりするほど見たり聞いたりしているのだ。繰り返しは、悲劇性を弱め説得力を薄める。しかしユダヤ人に向かって、うんざりしているとは言えない。言えないけど、私は自分がうんざりしている事実を認めても恥しいとは思わない。

「とにかく見てもらいたい。その後で、僕がなぜ見てもらいたかったかを、あなたに説明する」

いつまで彼らはこんなことを続けるのだろうか？　病的なまでにくどくどと。彼もまた私に、加害者意識を持たせたいのだろうか？　直接手を下さなかったからと言って、罪から逃れられるわけではないと。ユダヤ人は全てキリストなのであり、それ以外の全ての人間が彼らを磔にしたのだと。

いずれにしろ、私には選択の余地はなかった。すでに私たちは対等ではなかった。私とネイザンとは。あの建物の中に足を踏み入れたとたん、彼は流血と中傷の歴史にさいなまれた〝選ばれし民〟であり、私は加害者とは言わないまでも（果してどうなのだろうか？）、無責任な傍観者という立場を余儀なくされる。それは理不尽であり、罠のようにも感じた。私たちの芽生えかけた友情が危くなる。私は内心、ネイザンに対して憤然としたものを感じながら、過去の灰色の風景の中に足を踏み入れた。

いたるところから黒い眼窩が私に灰色の視線を注いでくる空間を行く。〝サディズムと屍体〟がテーマの映画のスチール写真を見ているような気分だ。黒光りする革に身を包んだドイツ兵の手袋をはめた手に嫌悪を覚える。それは、自分があれをはめる側に立つのでも、あるいはあの手袋の手で首をしめられる側の人間でもなく、どうしようもなく傍観者でしかありえないゆえの嫌悪感だ。私にどうしろというのだ？　ある日突然拉致されて以来、ひとつの顔しかもたなくなった人々の写真。灰色に汚れた顔たち。身にまとうボロも灰色なら、彼らの影も灰色だ。赤んぼうも子供も若い女も男も一様に年寄りの表情を刻み、誰も彼もが救いようもなく赤の他人であり（赤んぼうを抱いた親と子でさえも）、誰からも決して名前を呼ばれない人々の行列がるいるいとあった。

寒々とたちこめる歴史の霧の向こうで、私は音もなく弾丸が発射されるのを聞く。するとと人々はただ静かに崩れ落ち、ズダ袋のように横たわる。よろけたり身を打ち震わせるようなエネルギーさえもないと言った様子で。

枯木のような手足を突き出したズダ袋の屍体の、信じられないような山の頂きに、黒光りする長靴がズラリと並ぶ。大きく脚を広げて。それらの長靴には、チリひとつ埃ひとつついてはおらず、怖しいまでにピカピカだ。

ブルドーザーがやって来る。その地響きが私の足にも伝わってくる。ブルドーザーは、なんとなく棒切れのように見える半ば白骨化した骨を、その大半をこぼしながら拾い上げる。苦悩に大きく口を開いた骸骨が土塊の中から現れる。たくさんのムンクの叫び。数えきれないほどの腕が空に向かって突きだしている。

それらの記録写真は無惨だが、私を怯えさせることはない。そしてそういう光景は、すでに何十回となく見て来ているのだ。写真集や映画や記録映画のことだけを言っているのではない。映像よりもっと細密なディテールをつきつけてくるその種の書物や小説が作り出したイメージもさることながら、それら事実の夥しい断片を、ジグソーパズルのようにはめこんで作り上げた、私自身の地獄図というものがあり、その中で最も恐ろしいのは、脳裡に描きだされた地獄図そのものではなく、ところどころの空白、みつからない駒。恐怖は、想像力の中にこそあるという事実なのである。

私たちは再び日射しの下に出た。空気は乾いていて温かく、風が私たちにとりついていた死臭を吹き払って行く。

「そう……」と私はゆっくりとネイザンをうながした。「あなたの話というのを聞くわ」

「まず、あなたの感想から聞きたい」

石段のひとつに腰を下ろしながら、彼が言った。

「今観たものの中で、新しい発見は何もなかったということが、私の感想よ」

「つまり、何も感じなかった？」

「何かを感じさせようとしたの？　罪の意識とか、吐き気とか、恐怖とか。そうなの、ネイザン？　だとしたら悪いけど、あなたの意図は失敗だと思うわ」

太陽熱を内に含んだ石段が、私の冷えた躰を温める。「屍体をこれでもかこれでもかと、突きつけられたら、ひとはどう反応する？　最後にはうんざりして、顔を背けるわ。耳をふさぐわ。今の私の心境はまさにそれなの」

私はネイザンの痛烈な反撃を覚悟して、内心身がまえ、緊張する。

「あなたは非常に健全だ。そして、とても正直なひとだ」

それが彼の返事だった。

「それだけ？　反論はないの？」

私は拍子抜けして彼を眺めた。

「反論なんてないさ。あなたの感想は、僕の今抱いている気持と同じだもの」

「あら、そうなの」

私は完全に疑いを捨てたわけではなく、あいまいにそう呟いた。

「僕たちには、流血と中傷の歴史の中で、何世紀も何世紀も生きて来たという、事実がある」とやがて彼は語りだす。とても抑制のきいた声で。

一二四七年のフランスの貴族ドラコネの犯罪について、彼は淡々と話す。ヴィエンヌ県にいたすべてのユダヤ人が捕えられ、男たちは去勢され、女たちは乳房をえぐり取られ、最後に手足を切断されるか、体を真二つに割られたということ。あるいは〃ユダヤ人の恥辱バッジ〃のこと。黒死病に対するユダヤ人の責任について。一二七九年にはロンドンでキリスト教徒の子供を一人虐待したかどで、何人ものユダヤ人が馬につながれ八つ裂きにされたこと。それから少しして、ミュンヘンでは同じ理由でユダヤ教会が焼き払われたという歴史上の事実だけを語る。そしてナチスの残虐については、あなたも知っての通りと結び、少しの間、黙る。

「歴史におけるこうした事実について、たとえば虐げられる者には、虐げられなければならない理由が必ずあるものだというような意見もある」

私はふと、小学校時代いつも理不尽にいじめられていた女の子の姿を思い出す。客観的に見て、その子にはいじめられなければならない理由は何もなかった。頭も普通だし、容貌もごく平凡だった。意地悪でもないし、進んで悪さもしなかった。なのに、誰からもいじめられた。いじめが始まると、みんなが遠巻きにし、次第に興奮していった。

私が今でも鮮やかに覚えているのは、その子が一度も泣いたり立ち向かったりして来なかったことだ。じっと耐えていた。

今考えてみると、積極的にその女の子に敵意を持っていたのは、たった一人の別の女の子だったように思える。いつもその子が何かの拍子に、怒り出したり腹を立てたりした。一人の子の憎悪が全員に感染し、棒切れや石や素手や言葉でその女の子を責めたてた。

そこにあったのは、恐怖の感情だったと思う。一人の女の子の怒りに触れるのが恐くて、他の子供たちはそれに同調したのだ。つまり、その女の子はヒットラーだった。けれどもヒットラーの娘が、あの可哀相な女の子をいじめたのは、実は心の底でその子を怖れていたからではないだろうか。

彼女がその子の中に何を見、何を怖れたのかは今となってはわからない。

「僕は今、そのことについて分析するつもりはないんだ」とネイザンは言った。「そして僕はこれから表現についてあなたに話そうと思っているんだけど。つまり、何かを書こうとして僕がつき当っている——問題。壁について」

私は黙ってうなずく。

「実はさっきあなたが言ったこと——うんざりだっていう意見は、僕の意見でもあるんだ。実際、うんざりなんだ。彼らはいまだにくどくどと牛みたいに反芻し続けている。しかもそれは自分が行ったことではなく、されたことに対しての反芻だ。恨みがましく。一瞬の休みもなく、彼らがしていることといったら、自らを憐れむことだけだ。

自己憐憫もそこまでくると傲慢さと変らない。なぜそんなにまでも傲慢でいられるのか、暗然とするね。そして死。死。くる日もくる日も死のことだけ。我々ほど死を怖れる人種は他にはいないよ。死は突然に、理不尽にやってくると思っているからだ。天災のようにね。歴史が僕らにその事実を刻みつけた」

「彼らって誰のことを言っているの？」と私が口をはさむ。「あなたは、その人たちとは違うの？」

「その二つの質問は、とても大きな問題を抱えているんだよ。シナ、僕があなたに話そうとしたのは、まさにその二つのことなんだから」

ネイザンはそう言って、静かに首を振った。

「まず最初の質問に簡単に答えれば、ユダヤ系の作家たちだ。フィリップ・ロス、ノーマン・メイラー、レスリー・フィードラー、トルーマン・カポーティー」

ネイザンは次々と作家たちの名を挙げていく。ある者の名前は初めて聞くし、ある者は私も作品を読んでいて知っている。

「その作家たちの問題は何なの？」

私は、十把ひとからげ論は嫌だし、議論する気もないので素気なく質問する。

「病的なまでの自己憐憫の情。怪物的な自己顕示欲。しかしそれは、多かれ少なかれ作家たるものの特質をなすものだから、まあいい。彼らの罪は——」と、ネイザンは慎重に言葉を探す。「彼らがいかに自然を否定し、ユダヤ人の神のために、真の宗教を失ってしまったかということに気づいていないことだよ。相変らず自分を憐れむことに忙しくてね」

「あなたは——」

と私が口をはさむ。「そのことに気づいているわけなのね？　真の宗教って？」

「あなたもさっき見た通り」と、ネイザンは穏やかに言う。しかし、絶望しきって。その顔を初夏の強い日射しが灼く。彼はまぶしそうにわずかに視線を落す。睫毛が頬にくっきりとした影を落している。

「壁の割れめに向かって、精液たる夥しい言葉をまき散らしていた男たちを見ただろう」

　躰を揺らせたり、ぶつけたりしていた男たちの姿が、私の眼に浮かぶ。

「あれを祈りと呼ぶのか？　あの自慰行為を？」

　半分冗談にしてもそれは言い過ぎだった。けれどもそれは言い過ぎだと、私は彼に注意を与えなかった。注意しなかったことで私も彼の共犯だ。

「彼らの一番の罪は」と彼は続ける。「想像力の欠如だと思う。あの悲劇に関して見るもの聞くもの、読むものをうんざりとさせてしまった全ての表現者のことを言っているんだよ、僕は。もしも僕に才能があるのなら、あの時代に、ヨーロッパ各地で行われた残虐行為を、一枚の絵にするよ。一人一人が等身大の」

「どんな絵なの？」

「何百万という十字架と、血まみれの釘でそこにぶら下っている同じ数のユダヤ人の姿だ」

「つまりユダヤ人は全てキリストだってわけね」私は片方の眉を高くあげる。どんなにいじめられても決して泣かなかった女の子の、口をへの字に結んだ顔のことを考える。「それもまた傲慢だわ」

「傲慢だって、シナ？」

とネイザンはわずかに鼻白む。「きみは忘れているんだ。イエスは僕らのような人間なんだ。僕らと同じ土からできた肉と血をもつ一人の男だったんだ。イエスを捨てたのは僕ら全体の過ちなのだ」

「でもなぜあなたは、その絵を描こうとするの？　それは映画を作ることとどう違うの？」と私は訊かずにはおれない。それは単に手段を変えるだけのことに過ぎないのではないだろうか。私は、彼が私の前に描いてくれた等身大の夥しい数の磔刑のキリストたちのイメージにだって、すでにうんざりしているのだ。

「それは違うな、シナ。残酷さは人の想像力の中にあるんだ。そしてそれは想像によって証明されなければならないんだよ」

その言葉は私の考えと一致する。「でもどんなふうに？　あなたがあそこの壁で祈らないからと言って、ユダヤ人でないってことにはならないでしょう？」

私の言葉がどうやら彼の核心に触れたらしい。その証拠にネイザンは長いこと黙りこむ。やがて重い口を開く。彼は告白する。

「かつてニューヨークで暮した時代、僕は彼らとは無関係だという振りをして生きてきた男なんだ。物心がついて以来、自分の中の血を否定することだけに専念して来たと言ってもいい。というのも僕の両親はいったんはヒットラーから逃れて難民となり、やがてポーランドで強制収容所入りとなった訳で、そこでの数年の記憶を決して忘れなかった人間の一人だったからだよ。彼らは一日たりとも一秒たりとも、その記憶から意識を逸らすことを自分に許さなかった種類の人間だったから、やがて僕が生れると、必然的に僕は両親の嘆きの壁となったわけだった。僕は両親の自己憐憫を呼吸し、射殺やガス室や収容所の話を朝晩のシャワーのように浴びて育てられた子供なのだ。窒息しないためには、全ての穴を塞ぐしかなかった。耳を塞ぎ眼を塞ぎ口を塞いだ。家の中に漂う死臭を少しでも嗅がずにすむよう、浅く息を吸い深く吐く呼吸法も習得した。

七歳の時だった。小学校でなぜか僕は理不尽にいじめられていた。通っていたのはユダヤ人の学校だったから、僕を地面に這いつくばらせたのは、僕と同じユダヤ人の子供たちだった。

なぜなのか、僕なりに一生懸命考えようとした。ある時、額と唇を切って家に戻った。鏡の中に傷口をよく見ようとした時だった。鏡の中に何を見たと思う、シナ？」

私にはそれが何だかわかるような気がした。なぜわかったのか知らない。私は答えた。

「虐げられたイエスの顔」

ネイザンの顔に深い驚きの表情が浮かぶ。「一体シナ、どうしてわかるんだ？」

「私に訊かないで。ただわかるのよ」

「そうなんだ。僕が七歳の時痛めつけられて鏡の中に見たのは、突き出た額の下に落ちくぼんだ眼だった。僕の眼窩は真黒だった。驚いて頬骨にやった手は骨ばって、手首は乾からびていた。なのに僕は謎めいた不思議な微笑を浮かべていた。聖者めいた微笑。そうだよ、シナ。イエスの顔だった」

時間がゆっくりと過ぎていくのが感じられた。ありがたいことに、刻は止まることなく過ぎていく。ネイザンが溜息のような声で言う。「僕の眼窩を真黒にしたのは、両親だ。僕の七歳の顔から、子供らしさを剝ぎ取ったのは、ぐだぐだと永遠に続く、彼らの嘆き声だった。僕がなぜ、学校でみんなにいじめられるかが、それでわかった。僕をこんな顔にした両親を、憎んだ。その時以来、僕はユダヤ人であることを止めたんだ。自分の意識の中で——」

日が傾きかけていた。右手に見えるモスクの屋根が金色に輝きを増し、そのあたりの空の色を色褪せて見せていた。巨大な壁の影が長くなる。黒い帽子と黒い上着と、黒くて短いズボン姿の醜い男たちの影もまた、長くその足元に横たわる。

「そのようにして生きて来たんだよ。ニューヨークで。ほとんど非ユダヤ人的に。そしてほとんどそうすることに成功していた。最初に結婚したのは、非ユダヤ人の女だった。その結婚は二年続いただけで、終った。理由は——言いたくない。多分、僕は発情していただけだったんだ。彼女もね。

　二度目の妻はイスラエル人だった。たまたま好きになった女がイスラエルから留学していたユダヤ人であったということにしか過ぎない。僕の眼がイスラエルに向いたのは、彼女がきっかけだった。確かに眼はイスラエルに向きはしたが、姿勢としては背中を向けてはいたがね。

　彼女は精神分析医になるための勉強をしていた。ニューヨークに住み続けることに喜んで同意した。ニューヨークの空気が彼女には合ったんだ。やがて彼女は開業し、小さなオフィスを持った。僕は大学院にずるずると残って、主として彼女の父親からの仕送りで生活していた。僕自身の親との折合いは、とっくに悪くなっていたんだ。

長いこと彼女は、僕のだらしのない生活態度について何も言わなかった。事実、彼女の方からそのことに触れることはなかった。それを持ち出したのは僕の方だった。なぜなら僕から何か言い出さないかぎり、永久に彼女は何も言わないだろうという気がしたのだ。そしてある時とことん愛想の限りを尽して、僕を捨てるだろうと。

いつまでもこんな生活をしていく気はないんだ、とついに僕は彼女に言った。

今の生活が辛いの？　と、彼女は穏やかに訊いた。僕はそうだ、と答えた。なぜ辛いのかと彼女がまた質問した。何も生産していないからだと答えた。何かを生産したいの？　と彼女。それは何なのか、と。

多分言葉だと思うと僕は答えた。彼女は質問し、僕の答えに耳を傾ける。精神分析医のように。事実そうなんだけどね。決して方向づけはしない。アドバイスも与えない。それは僕が自分でみつけていかなければならなかった。

別のある時、ついに僕は彼女に向かってこう言った。書こうと思うんだ、と。彼女はうなずく。今がその時期なのね？　と優しく訊いた。そう、今がその時期だと思う。そして僕は一枚の白紙をタイプライターにはさんだんだ」

壁の内側が完璧に影だけになり、裂けめに向かって祈る男たちの姿が消えていた。

「言葉は自然に溢れ出て来た。それも夥しい言葉が。タイプを打つ手が思考に追いつくことは決してなかった。言葉は次から次へと溢れ、止まることもなく流れ続けた。僕は思ったものだ。このためにこそ自分は生まれて来たのだと。七十五日。それは七十五日間、朝も夜も続いた。最後の言葉の後にピリオドを打ち終った時、一滴残らず血を出し尽してしまった人間みたいな気がした。ものすごく寒かった。どんなことをしても絶対に温まりそうにはなかった。僕はキャロルに——妻だよ——抱きしめてくれと頼み、彼女はそうしてくれた。僕が望んだように、何も言わずに、ただしっかりと抱いてくれた。そして眠った。後でわかったことだけど、三十時間近く眠ったらしい。

眼が覚めた時、自分がどこで眼ざめたのか一瞬わからなかった。やがて原稿のことを思い出し、書斎へ向かった。原稿は最後に僕が置いたままの状態で、机の上に載っていた。最後の一枚がまだタイプライターにはさんであった。それを取り出して、束の一番上に重ね、それから全体をひっくり返した。タイトルと僕の名前が眼に飛びこんで来た。タイトルはともかく、名前を書く必要などないような気がしたのを覚えている。あつかましいような気がしたのだ」

「そのタイトルは何というの？」

　と私は訊いた。

「〃長い叫び〃——。たいして意味はないんだ」と、吐き捨てるように彼が答えた。

あきらかに私の質問が不快だったのだ。

「なぜそんなふうに言うの？」

　と私がとがめる。しかし彼は答えない。惨めそうだ。私の胸が重くなる。

「とにかく、原稿はそこに長いこと置かれたままだった。どうしても読み返す気になれなかった。そこに何がつまっているのか知っているわけだからすでに感動はなかった。感動は言葉をつむぎだす行為の中にだけあった。

　ある時、例によって僕の方からキャロルに話しかけた。〃そろそろ推敲しなければと思うんだよ〃〃いつかはしなければね、ネイザン〃と彼女は答えた。〃もう充分に時間がたったと思うんだ〃彼女はただうなずく。肯定も否定もしないやり方で。ほんとうは彼女にこう言いたかったんだ。恐いのだと。なぜならこれから僕がしようとしていることは、自分の才能を自分で判断することだったから。

　更に何日か、ぐだぐだとやり過ごして、彼女の前に行き、〃今からやるよ〃と宣言し、書斎に閉じこもった。鍵をかけたのを覚えている。キャロルに入って来て欲しくなかったのではなく——彼女の方から呼ばれもせずに入ってくることはまずありえなかったが——自分が出ていけないために。よく考えれば変だよね。外側から鍵をかけて閉じこめてもらうのならともかく。

それから読み始めた。結論から言うと六時間かかって、全部読み通した。最初の数行を読んだ時から、とにかく読み通すことが僕の最大の試練となったんだ。それくらい酷いものだった。あれは拷問だった」

「誰だってそうよ。自分の小説を推敲して拷問のように感じない作家はいないわ」

私の言葉は彼の心に届かない。

「自己憐憫と自己顕示の泥沼さ。吐き気がしたね」ネイザンは更に自分を突き放す。

「両親の悪夢が甦り、姿を変えてそのままそこにあった。あれほど嫌悪し否定したものが、そっくりあった。それどころか僕自身が目撃者であり生きた証人であるかのごとく、死について語りつづけるんだ。恨みがましく、くどくど、べたべた、と。ぞっとしたよ。神聖であるべき紙が、僕自身の〝嘆きの壁〟であったとはね。理性のかけらもなかった」

もう何年も昔のことを、彼は昨日のことのように語る。怒りと絶望の口調で。つまり怒りと絶望がまだ彼にとりついていることの、まぎれもない証拠だった。

自分の作品を冷静に批評できるのは、作家がもつべき必要欠くべからざる資質だ。しかしそれを否定してしまうのは別の問題だ。それを勇気のある行為だと、軽々しく言うわけにはいかない。

すでにあたりは黄昏（たそが）れ始めていた。寒くなりかけてもいた。彼は動こうとはしない。腰の下の石が急速に温もりを失いつつあった。

「何よりも辛かったのは」と彼が再び語り出す。「ぼくがまぎれもなくユダヤ人だという認識。その文体に於いて。病的なまでに執拗な恨みがましさに於いて。長いあいだ慎重に隠されて来たものが、もののみごとに露出していた。それが僕に向かって逆に投げつけられた。それは僕が長年にわたりネチネチと撒きちらしてきた精液であり、そいつが今度は僕めがけて降り注いで来たんだ。

排泄物のような言葉にまみれて、僕は自分がどうしようもなく汚れてしまったのを知った。二度と同じ過ちは繰り返すまいと誓った。僕はタイプライターを物置きに放りこみ、原稿を焼き捨て、そのことを忘れた。

それならば、いっそのこと徹底的にユダヤ人になってやろうではないかと腹をきめ、親父のあとを継ぎ、更に徹底を期すために、イスラエルに帰化した。それが十年前だった。僕はユダヤ人らしく少しも挑発の気配をみせることなく働き、不安を慎重に隠して生きて来た。彼らと同じように子供を三人もうけ申し分なく幸福だった。ここは気候はいいし、海はまだ充分に美しいし、ダイアモンド産業はついにアントワープを抜いて世界第一位にのし上った。それに僕の子供には、僕がかつて持てなかった祖国を与えられた。僕がこの国を愛しているかどうかということは別にして、子供たちが祖国を二度と失うことがないように、国境を守るための兵役につくのは、僕の義務であり喜びなのだ。僕の時代は終ったんだと思う。それでよかった」

「ほんとうに？」

「あなたに出逢うまでは」

ネイザンはジャケットを脱ぎ、私の肩に回しかける。

それを機に私は立ち上り歩き始める。ネイザンが溜息をついて、私に追いつく。

「私に出逢わなくても、あなたは遅かれ早かれまた書きだしている」私は彼の腕に手を置き、一緒に坂道を下って行く。「十年前に、ありったけの言葉を吐き出しておいたことは、むしろ良かったのよ。なぜかっていうと、今はあなたにはほんの少しの言葉しか残っていないから。二度と再び嘔吐のような小説を書くことはないという意味でね」

彼は雷に打たれたように、その場に立ち止ってしまう。

「あなたは、いつも、僕が今一番必要とすることを、的確に言うことができるんだね。確かに嘔吐のような小説は二度と書けないよ。あなたの言う通り、吐き出すものがないんだ。今の僕の最大の問題は、それなんだ。言葉がない。僕は言葉を失ったんだよ」

「言葉が自然にほとばしり出るなんてことは、決してないのだと思いなさい。あなたの内部に手を突っこんで何もなかったら、内臓を掻きむしって、爪の間にこそげとったものを取り出すのよ。小説を書くというのは、そういうことなの」

駐車場で私たちは彼の車に乗り、エルサレムを後にする。

今日私はスークをさまよい歩いた。ベルベル人のガイドが一緒だった。彼は最初の内はとても熱心に、いそいそとした身のこなしで私の前を歩いた。

カーペットはいらないかと訊いた。私は首を振った。モロッコのカーペットはもっさりとしていて私の趣味に合わない。三年前に訪れたトルコの小さな港町で、それは繊細で美しいカーペットを手に入れて以来、たいていのものには興味を持たなくなったのだ。

それは驚くほど高価だったし、買うことを決意するのにかなりの勇気がいったが、結局は手に入れた。それ以後、色々な国で様々なカーペットを見る機会があったが、あのトルコのものにかなう品物はひとつとしてなかった。中級品を買っていたら、結局また別の少しでも良いものが欲しくなる。初めから最高のものを手に入れてしまえば、その種の誘惑とは無縁になる。もっとも、それが最高の品だと鑑定できるような眼をもつに至るまでには、かなりの授業料を払って来たわけだから、あまりいばれない。

では革製品はどうかと訊く。いらないと言うと靴屋の店先で、モロッコ人がはいているカカトをつぶしたスリッパのようなものを熱心にすすめる。金や銀で刺繍をほどこしたものを見せて買わないかと言う。でも私は欲しくないと答える。

私が何かを断るたびにガイドは、まるでそれが自分の責任ででもあるかのように恐縮する。

　結局私が何も買う気はないのだと納得すると、急に無口になり、私の前をいそいそと歩くのを止め、少し後からペタペタとした足取りで、ただついてくる。そして時々、私に向かって不自然な程攻撃的な態度で客引きする男たちに向かって、どすのきいたベルベル語で、一喝する。

　似たような安手の土産物屋が並んだ一帯を過ぎると、観光客の姿が少し減り、そのかわり土地の人たちの数が増える。両側に軒(のき)を並べるのは、生活必需品や食料品や果物を扱う店で、その中でも香辛料店は圧巻だ。

　肌についたらすぐにも赤くなってヒリヒリしそうな、赤唐辛子のひきたての粉の山がある。東京では、ほんのひとつまみで二千円もするサフランの黄色い山。これほど大量のサフランを私は見たことがないので、いつまでも眺めている。

　薄荷(ミント)の葉だけ積み上げて売っている店もある。青々としたミントが、信じられないほど安く売られている。最初のうちなじめなかった薄荷茶(ミントティー)の甘さにも、そろそろ舌がなれて来ている。

　羊と鶏肉しか扱わない肉屋の店先に、何頭もの腸を抜かれた肉塊と化した羊が、所狭しとぶら下っている。気候のせいか、どの肉も清潔そうに見える。香港のそういう店のように、ぬるぬるべたべたとして血なまぐさくはない。人々の波に押されてガイドの姿を見失うが、私はそれほど心配しない。ガイドの方は決して私を見失いはしないという確信がある。

事実、別の路地に踏みこみ、人通りが少なくなると、彼は再び私のすぐ背後を歩いている。

通路は細くなり、炎天下でもひんやりとするほど涼しい。両側は店ではなく壁が多くなっている。ところどころに窓があったり、せまい裂けめのような入口があったりして、そこからメディナ内のしめった暗い生活の気配が漂う。しかし人影は見当らない。アラビア語の声だけがしている。

再び明るい所に出る。小さな広場のようだった。活気があり、観光客が右往左往している。その時私は上腕部にべったりと置かれる他人の手の感触に驚いてふりむいた。ベルベル人の女が、ボロにくるまった赤んぼうに乳を含ませながら、物乞いの手つきで、マダム、どうぞおめぐみを、と言う。おずおずとしたところの微塵もない、それが彼女の当然の権利ででもあるかのように、マダム、どうぞおめぐみを、と主張する。

ベベが不幸なのです、と乳房に吸いついている赤んぼうを揺すって見せる。しかし赤んぼうは汚れてはいるが丸々と太ってしごく健康そうなのだ。私は思わず笑う。マダム、どうか、と女はまたしても私の腕を押さえる。たじろぐような強い力だ。私は小銭を持ち合わせていないのを思いだして困惑する。一番小さな金額で百ディルハムだから、およそ二千円に相当する。物乞いに与えるには、馬鹿げた金額だった。この国では百ディルハムは大金だ。ミントティーがカフェで二ディルハムで飲めるのだから。それすらも、観光客の値段だった。私の滞在しているラ・マムニアのプールサイドテラスでは、同じものにその十倍の二十ディルハムを要求する。

私は肩をすくめて歩きだす。女は赤んぼうを抱えたまま、蜥蜴のような動きで一瞬も私から離れない。マダム、ベベが不幸なのです。マダム。私の腕を押す手の感触が次第に狂暴さを増していくようだ。私はその女から逃れられないのを感じる。眼でガイドを探すが、彼は知りあいの別のガイドと立話をしている。

あなたにあげるお金を持っていないのだ、と私は彼女に言う。マダム、ベベが不幸なのです。私の嘘を見破った眼で彼女が繰り返す。

私はそのまま彼女をまとわりつかせていることがとても恥しい。けれども百ディルハムを与えることはもっと恥しいような気がする。そして逃げだすことは不可能だ。彼女の厳しいまなざしの中にはすでに勝利の色が浮かんでいる。私は自分がひどく無力なのを意識する。

とにかく彼女に立ち去ってもらいたかった。バッグの中に手を入れ、財布を見せないようにして、手の感触だけで紙幣を一枚抜きとり、片手で小さく折りたたむ。手を差しのべた瞬間、女はそれを掠め取る。次に瞬きをするわずかの間に、彼女は身をひるがえし私の前から消えていなくなる。「メルシ」の一言も残さずに、生臭いような母乳の匂いだけを残して、忽然と姿を消す。

人々が私を眺めている。店先から、店の奥の暗がりから、通行人がわざわざ足を止めて、あちこちからの視線が私に突き刺さる。みんなはすでに知っているのだ。私があの女に幾ら与えてしまったのかを。私は見抜かれ、暴かれ、裏返しにされてしまったように感じる。ガイドの視線とぶつかる。私の唯一の味方であるはずの彼までが、驚きと嘲笑の混じった視線を私から逸らせる。

それらの視線から追われるように、私はその小さな広場から逃げ出す。

気がつくと十字路だった。人波にのみこまれ、ひとつの角を曲って流れていくと、不意に屋根のないバザールに出た。

「ミッラ」と、私のガイドが短く言った。つまりユダヤ人街であった。

当然のことながらユダヤ人が大勢いた。次第にアラビア人が少なくなっていきユダヤ人が増えていったというような変化ではなく、ひとつの路地を無防備に曲ったら、もうそこはアラブではなかったという感じだった。

髭を生やし、黒い小さな帽子をかぶった男たちが、地面に広げた品物の中央にしゃがみこんでいる。

彼らは私がイスラエルで見たユダヤ人たちより、はるかに貧しく見える。しかし、アラビア人たちのように攻撃的ではない。むしろそっけなく見える。雑多な商品の真中にしゃがみこみながら、通行人に対して無関心な冷ややかさを漂わせている。別に売る気はないんだ、と言わんばかりで、そっぽを向いている者さえいるのだ。中にはボタンを五つだけ地べたに置いている者もいる。それが物売りでボタンが売り物だとは、すぐには信じ難い。しかもそのボタンは全部大きさも色も違う。と思うとしなびたリンゴを一個だけ置き、たえずそれを地面に転がして客の注意を引こうとしている老婆がいる。

「あのリンゴ、売れるのかしら」と私がガイドに訊く。

「売れることもあるし、売れないこともある」

私のガイドはひどく哲学的な表情で答える。

「売れなかったら、あの人はどうするのだろう？」

地面の上でリンゴを転がす手が、更に忙しく動きまわるのを眺めながら、私はもう一度呟く。ボタン売り同様おそろしく馬鹿げていると同時に、なにか脅威的だ。

「売れなければ自分で食べます。売れたらその金でパンを買う。どっちに転んでもあの女は空の胃袋で今夜眠る心配はないってことです」

私は、私の泊っているラ・マムニアのモロッカン・スウィートルームの、一泊の値段を考える。それから毎朝、バルコニーに運ばせるルーム・サービスの朝食の馬鹿げた値段と、馬鹿げたチップのことを考える。そこのイタリアンレストランで注文した白ワインの値段や、トルコで以前買ったカーペットのことを考える。それから、注文しておいて食べきれなかった食事について思う。

私は、自分の着ている物をそっと見下ろす。来年になったら身につけないかもしれないそのスカートに支払った代金や、ジャケットの値段や、シャルル・ジョルダンのブーツ。私は老婆の皺の刻まれた顔と、その洗いざらしの衣服と、無心な表情を眺める。彼女の頭の中にはあきらかに、その一個のしなびたリンゴのことしかないのだ。一瞬、彼女が羨ましいと思う。その見事なまでの単純さと明快さが。私は、私たちは、あまりにも——。私がバッグの中に手を突っこむのを見て、ガイドが止める。

「また百ディルハムで、そのリンゴを買おうってんですか」

私は恥しさで赤くなる。その老婆に何かを与えたかったのだ。何かを。でも私には与えるべき何もないということがわかる。百ディルハムの他には。

私はありとあらゆるものを所有している女の一人であり、普通、女が欲しいと望むものは、ほとんど全て手に入れている。東京の家の他に別荘が二つあり車が三台ある。私のクローゼットには溢れだすほどドレスが並び、百足を超える靴と、同じ数のバッグと、帽子がめちゃくちゃになって突っこまれている。本を何十冊も書き、その印税が毎月、かなりの額銀行に振りこまれ、多少は名も知られ、ある種の人たちから尊敬もされている。一応家庭があり、夫がいて娘がいる。ファーストクラスで旅をし、その街の一番高級なホテルのスウィートルームに泊り、多少は知られた名と人よりわずかに余分に持ち合わせたお金の力で、行列の後ろに並ぶことから解放されている。たとえば、空港へ二時間前ではなく、三十分前に到着しても、座席は確保されているし、レストランでも名前さえ告げれば、百パーセント予約がとれるというようなことだ。そのために、他の誰かが理不尽に不便な思いをするという事実を無視できればの話だが。私が秘書に、先に予約が取れるかどうか確かめて、それから最後に名前を告げるようにと注意をするのは、特権を振り回したくないからだ。

にもかかわらず、ふと足を踏み入れたミッラのバザールで、リンゴ売りの老婆に与えるものがひとつもないという事実に、慄然としてしまう。

その間、老婆は一度として眼を上げて、少し離れたところから彼女を見ている私の方を見ようともしない。ガイドが先をうながす。私は仕方なく、その場を離れる。たとえようもなく後ろめたい。

とある古物商の店の前にさしかかった時、私の歩みが止ってしまう。ショウウィンドウのない開いたドアだけの店の奥はかなり広く、薄暗い。人の気配はない。砂漠にはえる樹木を乾燥させて作った香木の燃える微かな匂いが漂ってくるだけだ。アリ・ラシード・ラフマーン氏の豪華な居間で嗅いだのと同じ匂い。私は店の中に足を踏み入れる。ガイドがやれやれと言うように後に従う。

店内には何十という数のドアがたてかけてある。アラビア様式のドアもあれば、分厚い板を組み合わせただけの重いドアもある。ありとあらゆるドアがそこにはある。ドアだけがある。

かつては極彩色のけんらん豪華なアラビア模様のドアも長い時の流れに洗われて、そのけばけばしさが剝げ落ち、実に良い色合にまで褪色している。

木窓もある。それらはかつて、その背後に人々の暮しを閉じこめていたものたちである。その人々がどうなったのか知らないし、その家々がどのような運命をたどったのかも知らない。ドアだけが取り外されて、ここに集められている。アラビア中から。

アンダルシア様式のものもいくつか見える。私はそのドアたちに魅せられて、店の中をさまよい歩く。ひとつのドアの前で私は完全に立ち止ってしまう。永い年月で漂白され、穏やかな表情を見せている木製のドアだ。砂塵によって木の柔らかい部分がけずりとられ、繊維質の木目が毛細血管のように浮きだしている。

「お買いなさい」とガイドが囁く。「気に入ったのなら、お買い得です」

彼はドアなど興味はない。

これまでも、その店を案内したこともないかもしれない。モロッコまで来てドアを買って行く観光客などいないのだろう。けれども彼はライセンスを持つガイドであるかぎり、何かアドバイスをする必要を感じたのだ。

「そうなの、気に入ったの」

私はその木目に指を這わせる。装飾の強化のために打ちつけてある鉄飾りにも触れてみる。鉄飾りのひとつが取れてなくなっているために、デザインは左右対称ではなくなってしまっている。

私は店の人を探すために、眼を上げる。すると、一人の男がどこからともなく現れる。ドアの間から忽然と。彼はそれらのドアと同じ色の木綿の服を着ており、顔色は土壁の色だ。気がつかなかった訳だ。彼はドアと一体化して、その中に溶けこんでいたのだ。その顔も躰も、そういえば四角張っている。

「これはいつ頃のものなの？」

と私はその男に質問する。ガイドがアラビア語でそれを繰り返す。

「およそ二百年前の、サハラ砂漠から来たものです」

道理で、と私は思う。サハラ砂漠のどこかの小さなオアシスに建つ土と石の家が眼に浮かぶ。そこにはめこまれていたドア。

砂によって漂白された木目から手を離し、その値段を訊く。男は紙の上に鉛筆で数字を書きこむ。私はその数字に二十を掛けて思案する。

ドアの大きさはちょうど私の背丈と同じである。そしてひどく重い。一体私はこれをどうするのだろう？　わかっていることは、それが私に属するものだ、ということだけだ。

私がそれを見つけ、その荒い木目に手を置いた瞬間から、ドアは私に属したのだ。私がドアに属したのだと言っても良い。そんなふうにして私は物に出逢って来た。あるいは人間に。

そして、出逢ったその瞬間に、私はそれをもてあまし始める。現実的には、そんなものを置くスペースもなければ、使い道は更にない。それよりも気が重い。何かを手に入れるということは、そういうことなのだ。

私は言い値でドアを買い、着払いということで郵送の手続きをして、その古物商と別れた。

この国で言い値で物を買うのは愚かなことだ。当然半値あたりまで値切って交渉を始めるのが普通なのだ。

そうしてもよかったたし、習慣に従うべきだったのかもしれない。けれどもその時私には、例の〃痛み〃が起こりかけており、その予感の中で虚無感に呑みこまれつつあった。自分がその時はおっていたエスカーダのジャケットと、その二百年前のサハラのドアとは、ほぼ同じ値段だった。たとえドアがその十倍でも、私は逆らわなかっただろうと思う。

〃痛み〃というのはこういうことだ。一日の内に何度か、私の中に起こる肉体的な痛み。それは何かの拍子に躰の奥から湧き上がり、躰の全ての先端へと走り抜ける鋭い断続的な激痛だ。やがてそれはほぼ両手と指に集結し、その耐え難い痛みのために、私の両手の握力が失われる。同時に陰々滅々とした虚しさに支配される。

何もかもが実にどうでも良く、ひたすら重いのだ。〃痛み〃が始まると、それが消えるまでじっと耐えるしかない。

そういう時、私は〃お助けニギニギ〃とひそかに名づけたものを両手に握りしめて、呼吸を止める。それは掌にすっぽり入ってしまう、すべすべとして冷たいものであれば、何でもいいのだ。

用心のためにどこへ行くのでもバッグの中にはそういった石を入れているのだが、

たまたま、あの時には入っていなかった。

出先や旅先でそれが不意に起こると私はあたりの店に飛びこんで、握りしめるものを探す。水晶玉であったり、大理石の卵であったり、そういうものがない場合でも何かしら探し出した。丸味を帯びた真鍮のライターとか、小型の飛び出しナイフであるとか。

あるいは道ばたにしゃがみこんで、石を探すこともある。そんな風に必要に迫られて、あるいは用心のためにあらかじめ買い求めた〝お助けニギニギ〟の数は、少なくみつもっても百は下らない。私の生活の場のいたるところに、それらの一見無意味な物体がゴロゴロしている。そのどれもこれもが、本来の使用目的には使われないので、その色も素材も千差万別だが、どれにも共通しているのは、すべすべとして冷たいもの、という点だけだ。

私は古物商の外に出ると、眼で石を探す。そういう情況は日常茶飯的なので、私はとても素早く、格好の石を探し出すことが出来る。ひとつしかみつからない場合が多いので、それを交互に握りしめる。左手から右手へ移す時、空中で少し揺すって風をあててやると、石は私の体温を放出し、再びひんやりとした冷たさを取り戻す。

石がみつかったので、表面の汚れを指でこすり落して、手の中に閉じこめる。両手をしびれさせてしまっている痛みを、その石が吸い取るのがわかる。石は私の痛みを吸い取って、次第に熱を帯びていく。

ガイドが不審そうに、石が好きなのかと訊くので、そうだとだけ答える。すると彼は私を近くの土産物屋の中へ連れこむ。

大きなバスケットがあり、その中にありとあらゆる型をした大理石の彫り物が放りこまれている。すでに私がいくつも持っている卵もある。私は適当に手にとり握りしめて見て、具合の良いのだけ取りのける。すんなりした魚の型をしたものとか、オットセイとか、鳩とか、他にも何だかわからないオブジェとか、七つも八つも買ってしまう。そのどれもが、刻み込みがなく、すべすべしていて、握りしめるとほっとする。私の手の痛みは、いつのまにか消えている。

大理石のスーベニールのおかげで急にずっしりと重くなったショルダーバッグのひもが、肩にくいこむ。なのに私はすっかり軽い足取りで上機嫌で歩く。ほとんど幸福だ。

バルコニーはすでに夕暮れの中にある。夜の黒い粒子が、開いているフレンチドアの隙間から、室内に侵入し始めている。室内は薄暗く、アラビアタイルが放つ仄白さで、辛うじて物の見分けがつく程度だ。私は長いこと、その仄暗さの中でじっとしている。

太陽光線が射し込む日中は、けばけばしかった壁面装飾や天井の杉の模様も、今は私をとても落着かせる。

一見無秩序に見える無数の線が、規則正しく屈折したり交差したりしながら、気がつくとある模様を——というよりは世界を構成していることに驚かされる。多神教の世界の神、及び偶像崇拝のおどろおどろしさが、ここにはない。観念の産物としての"ひとがた"を必要とはせず、唐草模様が幾何学的模様の中に、強いて視覚上の表現を与えようとしたイスラム世界の静けさが、私を落着かせる。ローマであるいはイスラエルで私がまのあたりに見た、信仰の概念たるものの、なんという脂ぎった自我が、そこにあったことか。

私のホテルの部屋は、タイルをはりめぐらされた三つの小室からなるスウィートルームで、とても気に入っている。そのタイルのひとつひとつをたんねんに眺め手に触れて見る。これほどまでに微妙で複雑な模様を貼りこむのにどれだけ精巧なデザイン画を必要とするのだろうか。

ところが、そんなものは存在しないのである。それは、イスラム世界に生きる人々の血の中にだけ存在するものなのだ。

そのことがわかったのは、カサブランカに建造中のハッサン二世大聖堂（モスク）を見学した時のことであった。巨大なモスクの中はガランとしていたが、何人かの職人が壁面にとり組んでいた。

彼らは無造作に一枚のタイルを取り上げると、壁に貼りつけて行った。迷いのない手で、いくつかのタイルを貼り合わせていく。小一時間もしないうちに、そこに複雑な幾何学模様が出現していたのだ。

彼らは明らかに熟練工ではなかった。まだとても若い人もいた。美術学校で学んだようでもなく、若き天才でもなかった。その証拠に、今とりかかっているタイル貼りの仕事より、東洋人の女の方に、より興味があるようだった。彼らは、私が通りかかると口笛を吹いたり野卑で底抜けに明るい笑い声を上げた。

ついに決意をして、ドレッサーの上のスタンドの灯りをつける。それから手帳を取り出し受話器を取り上げる。その段階で、電話をしようとしているのは、二人の男だという認識に私自身がたじろぎ、受話器を戻してしまう。私は考える。テル・アビブでの時間帯を。彼はすでにオフィスにはいないだろう。そしてほっとする。それから、東京の時間を思う。私の腕時計は頑に東京時間を差している。自分が今、一番気になる人がいる場所の時間を意識していたいからだ。

腕時計の針は十時を示している。午前十時だ。次に、長い国際電話のダイレクト・ナンバーのダイヤルを回し始める。

局番の二桁目で、私の指は手帳に書かれた番号とは違う数字を回している。別の選択がなされたのだ。時々私は、自分の意志とは明らかに異なるこの種の選択が、一体どこから来る命令なのかと深く考えることがある。

たとえば二股にさしかかって、本来は右へ行くべきなのを咄嗟に左へ行ってしまうというような場合、そのことは何を意味するのだろうか。右に行かなかったことで何かを回避したとして、それは何なのだろう？　あるいは左への道を選択したことによって、右へ行くのと何がどう違ってしまったことになるのだろうか？

私はあのひとに電話を掛けようとしてダイヤルを回していた。あのひとの声を聴きたいという思いをこの旅の間ずっと認めようとはしなかった。その思いを自分の中にねじこんで来た。そして局番の二桁目からの番号を咄嗟に変えることで、それをまたしても回避した。

呼び出しが鳴り続ける。東京時間の午前十時に誰かが家にいる訳がない。十一回目で受話器を置こうとすると、不意に電話がつながる。

もしもし、と応じる夫の声。寝起きなのがわかる。二日酔なのかもしれない。

「どうしたの？　気分でも悪いの？」と私が訊く。

「ちょっと風邪気味なんだ。それに昨夜飲み過ぎた」

私は娘のことを訊く。彼女は元気だ、と夫が答える。するともう私には喋ることがないような気がする。

「そっちはどうだい」

その声で、夫もまた同じ当惑を感じているのがわかる。「モロッコの夜と昼は、楽しいかい」なんというお門違いの質問だろう。私に楽しんでなど欲しくないくせに。それとももはやそんなことはどうでもいいのだろうか。

「バルセロナ経由でそっちへ帰るわ」私は帰国の日時を伝えて、電話を切る。ベッドまで歩いて行って、その上に斜めに倒れこむ。曲げた片腕に額を押しつけ泣こうとする。だが泣けない。

誰も見ているわけではないのだから、と自分をそそのかしてみる。独りなんだから。私が泣いたことで驚いたりショックを受けたり、傷ついたり、嫌な気分になったりする人はいないのだから。それでも泣けない。

涙がどれだけ慰めと慈愛に満ちていたかを思わずにはおれない。自己憐憫のほろ甘さ。それは乾き切ってひび割れた土壌に吸い込まれ、やがて癒されていくのだ。

長いこと、同じ姿勢でベッドの上に身を投げだしたまま、記憶の中に頬を温かく濡らす涙の感触を呼びさます。

私の二度めの結婚もまた失敗で、私たちはすでにお互いの弁護士を通じて離婚手続を終えている。夫がまだあの家で暮しているのは、娘に動揺を与えないためだ。ある日突然に父親が居なくなってしまうことを受け入れるのには、彼女は幼な過ぎる。私と夫とは、二人の間の破綻をあまりにも完璧に娘の眼から隠して来たことを、今では少し後悔している。といって話してわかる年頃でもない。彼女は父親のことが大好きだし、彼も娘をとても愛している。あの二人を引き裂くことを思うと、私の胸は激しく乱れてしまうのだ。いっそのこと、彼が彼女を連れて行ってくれたらいい、と夫に言ったことがある。

そうすればきみは被害者になれるものな、と夫は答えた。きみはあの子を奪われ、たった独りぼっちで追放されたような気分で、思う存分、被害者意識に浸れる。そいつはごめんだね。別れた後々まで、誰かの加害者でなどいたくないんだよ。別れたら、何もかもきれいさっぱり忘れちまいたいんだ。

善意に解釈すれば、相手から一番大事なものを取り上げることを避けたいというそれだけのことなのだと思う。私が娘を父親から引き離したりしないように、彼もまた、あの子を母親から引き離したくないのだ。

けれども、被害者意識に対する誘惑も皆無とはいえない。というわけで、ひとつは娘に対する愛情から、そしてひとつは対夫、対妻の意地から、彼も私も身動きできないでいる。その関係がすでに一年近く続いている。そのために、私も彼も不毛だ。

なぜ、家に電話などしてしまったのだろうか。私の無意識、あるいは潜在意識は、私に何をさせるつもりだったのか。夫が電話に出て、会話らしい会話さえも成立しない状態で、切ってしまった。残ったのは、後味の耐え難いほどの悪さだけだ。

私も彼も元来は、公正な人間のはずなのだ。あいつはとてもいい奴だよ、と言われる種類の人間だ。彼女は人に対して非常に優しいんだ、とも。

けれども私たちは、お互いに、相手に対していい人でいることも優しくし続けることも出来ない。それどころか、世の中で一番嫌な人間であり、残酷な存在にお互いがなってしまっている。私には、七年以上続く結婚なんて信じられない。すでに最初の結婚でそれは証明ずみだったのに、同じ過ちを犯す自分がもっと信じられない。

とりわけ、最初の結婚を一気に終らせるために、私が飛びこんだ性愛の地獄のことを思えば、あのことが何ひとつ教訓として生きていないことに、茫然とするばかりだ。

それどころか、同じことを性こりもなく繰り返してしまったのだ。ネイザン・モッシャは、私が島流しにした男の再来だ。私がニューヨークでしたことは、あの島で雨に閉じこめられてやったことと何ひとつ変らない。ピエールのホテルルームのドアから、丸々一昼夜、DO NOT DISTURBの札を外さず、ルームサービスの昼食と夕食はベッドの中でがつがつと食べた。

二人とも、それが何かの始まりだとは、思ってはいなかった。あれは、二人の始まったばかりの関係を、急速に終らせるための儀式だったのだ。ニューヨークを発つ前の晩、私がピエールへ行かないことで、それが決定的になった。

朝帰りのプラザ・アテネの一室で、スーツケースに荷物を詰めている最中二度電話が鳴ったが、私はそれを取ろうともしなかった。おそらく一晩中ネイザンは私の部屋に電話をし続けたのだろうと思う。

私が受話器を取ったとして、どうなるものでもない。彼は私の不実をなじるだろうが、彼もまた二人はもう終ったことを知っているのだ。

二度目の電話は三十回近く執拗に続いて、そして唐突に鳴り止んだ。喉が嗄れるまで叫び続けた人のように、不意に口をつぐんだみたいだった。ネイザンがついに諦めたことが感じられた。

彼からはその後、手紙が一通届いた。ニューヨークの最後の夜の私の不誠実さには一言も触れていなかった。ただ、彼が書き始めたこと、最後の出逢いで彼自身が予測したとおり、私が彼のカタルシスであったことを、淡々と報告している手紙だった。

最後に彼は私の無防備さに触れていた。その危険なまでの無防備さに自分をさらせるゆえに、私は強い女なのだ、と。そして私のその無防備さで傷つくのは、無防備な私自身ではなく、私の近くに居る人々なのではないかと。なぜならば、誰の助けも求めないから。誰も真には必要とせず、自己充足するタイプなのだ、と。

今ではあなたのことが心配なのだと彼は書いて来た。一体誰があなたを守ってあげることが出来るだろうかと。あなたがそれを全然望んでいないとしたら。あなた自身が自分を守ろうとさえしていないのだから。

島の男が死んだ。ある日ボートで海へ出て行ったきり、帰らなかったのだという。ボートだけが、無人島のひとつで発見された。エンジンは切られてはいなくて、ガソリンは空だったが、予備タンクの方には手がつけられていなかった。

それで考えられるのは、何かの拍子に彼が海に落ち、ボートが無人のまま走り去ってしまったということだ。やがてボートはガソリンを費(つか)い切って、潮に流され浜に打ち上げられる。

男の遺体は、発見されなかった。鮫の多いところなので、捜索は一日で打ち切られた。私にその知らせを書いてよこしたのは、彼が一緒に暮していた女の義兄に当るアメリカ人だった。どうして私のことを知っていたのかわからないが、返事は不要という旨が書き添えてあった。

　私がその事実を冷静に受けとめることができるまで、多くの時間を必要とした。今でも彼の死に対して、私にも責任があると感じている。全く責任がなければ、女の義兄から彼の死を知らせる手紙など届かなかったはずだから。

　時々、こんなふうにも思うことがある。あのひとはまた逃げ出したのだと。あの島から。島の女から。彼自身から。そして私から。

　どこかでまだ生きている彼を想像する。その方が、鮫に喰われた彼を想像するよりはるかに現実的だ。彼は別のどこかで生きていて、また同じ過ちを犯している。そこから逃げださなければならないような過ちを。彼は永久に彼の過ちを繰り返す。私もそうだ。私たちはそれから逃れられない。

　頬が冷たいので触れてみると、驚いたことに濡れている。腕も濡れていて、その下のベッドカバーもわずかに湿っている。私は誰のために涙を流したのだろうか。ネイザン・モッシャか。夫か。島の男か。

　ベッドサイドのデジタル時計の青い燐光が、それ自体の明るさで、ベッドルームを照らし出している。時刻は十二時を過ぎている。

同じ姿勢で腹這いになっていたために、背中が板のようになっていて、腰はすでにしびれかけている。信じられないくらい時間をかけて、ゆっくりと用心して寝返りを打つ。

枕を背中に二つあてて、半身を起こす。開いたままのバルコニーのフレンチドアから、風が吹きこみ、たえずカーテンを膨らませている。深い夜の匂いがする。こんなに乾ききった砂漠の隣接地帯なのに、なぜか雨の匂いがそれに混じる。

ドアの手前には、コーヒーテーブルがあって、夕方頼んだミントティーのポットと色ガラスのコップがそのまま置かれている。私は空腹を意識するが、どうして良いかわからない。もうひとつの部屋のサイドテーブルの上に、甘ったるい揚げ菓子やハチミツでからめたクッキーが置いてあるのを思い出すが、そこまでどうやって行って良いのか、途方に暮れる。

歩いて行くのよ、と自分を叱りつける。あるいは電話をして、ルームサービスでサンドイッチでもとればいいのだ。

電話は、ベッドサイドにある。手を伸ばせば届く距離だ。だが私の両手はだらりと両側に垂れたまま、動かせそうにもない。誰か助けて、と呟いてみる。唇が乾いて、ひび割れたような声がもれる。それが自分の声とは思えない。動き出すこともできず、そこに坐り続けることは更に耐えがたい。時間だけが過ぎていく。私はベッドに釘づけになったまま、過ぎる刻の音だけに耳をすませる。自分がこれまでにしてきたことを思うと狂おしい気持になる。夜のせいだ。真夜中を何時間も過ぎても、眼覚めているせいだ。〝痛み〟が始まりかける。ショルダーバッグにつめこまれた冷たい石たちのことを考える。

最初の痛みが走り抜ける。あの石たちを両手に握りしめる際の、安堵感を想像する。複数の痛みが錯綜する。それを拷問のように耐える。ベッドに釘づけにされたまま、私の意識はショルダーバッグの中に入りこみ、あの冷たいすべすべした石たちを愛撫する。それが私の全てとなる。石と一体化することが。

電話の音で、はっと我に帰る。バルコニーの外はいつのまにか白みかけている。けれども眠っていた訳ではない。眼を閉じていなかった証拠に、私の両眼は乾き過ぎてヒリヒリとしている。

眠ってはいなかったが、数時間の記憶が拭ったように、ない。受話器を外して耳に当てる。

相手が名乗る。彼だ。その声を聞いても私は驚かない。意識のどこかで、あのひとが必ず旅先に電話をくれると信じていたからだと思う。私がこの旅の間、たえず待ち続けたのは、この声なのだ。歓びが徐々に私の胸を温水のように浸していく。

もしかして、起こしてしまったのではないだろうか、と彼が言う。夏時間(サマータイム)なのを忘れていたよ。

とっくに起きていたのよ、バルコニーで朝食を済ませたばかりなの。私は耳に自分の生き生きとした声を聞く。

「元気?」

東京は夕方だ。彼のオフィスの様子を想像する。ジャケットの色とかシャツの形とか。私は彼の背後の物音に耳を澄ます。何も聴えない。彼が着ているジャケットの色が見えて来ない。彼の何もかもが知りたい。側に居たい。彼に、ここにいて欲しい。

「すごく元気よ。食欲はあるし。モロッコの空気がわたしに合うみたい」

「それはよかった」

と彼は答える。もしかしたら、一人で落込んでるんじゃないかと思ったが、その声の調子だと大丈夫そうだ、と。

「ねえ、聞いて。昨日、ドアを買ったの」と私は喋り出す。沈黙が長びくと、じゃこれでと、彼が電話を切ってしまいそうで恐いからだ。そのドアは、ドアだけを売っている店にあったということ。一目でそれを所有したいと思ったこと。「いつかあなたにも見せるわ、もし見たいのなら」

「もちろん見たいよ」と彼が笑う。「でもそのドアを、あなたは一体何に使うつもり？」

そんなことは考えていないのだと、私は電話に答える。それから乳呑み子を抱いた物乞いの女のことを話す。彼女がとても恐かったということも。「逃げだすのに百ディルハム与えるしかなかったの」

彼には、あったことをありのまま喋ることができる。赤いカスバの城壁にあたる夕陽について、あるいはバルコニーから眺めた竜巻について、またあるいは一日に五回上がる光塔（マナーラ）からの大音声について私はとりとめもなく話す。そして言う。

「これで全部。今度はあなたの番よ」

しかし、と彼が言う。「あなたは例によって、自分のことは何ひとつ言っていないよ」

「十五分も私が喋ったこと、聞いてなかったの？」

「それは聞いたよ。でも僕が聞きたいのはモロッコ紀行じゃない。僕はあなたの読者ではないし、ましてやあなたの本のファンでもないから、あなたの紀行文には興味がないんだ」

奇妙なことに、その言葉は私を傷つけない。むしろ私を歓ばせる。彼が先を続ける。

「僕が興味があるのは、あなた自身であって、あなたのことなんだ。でもあなたは、自分自身のことは語らない。いまだに、僕はあなたのことについて、ほとんど何も知らないんだ」

「もしかしたら、語るべき何もないのかもしれないとは、思わない？」

不安を覚えて私が言う。

「そんなこと、自分では全然思ってもいないくせに。そういうのは僕には通じない」

私たちを隔てる物理的な距離を思う。ニューヨークのホテルの最上階のスウィートで、二人がまだお互いの名前さえもろくに知らなかった時のことを思い出す。バランタインを一本空けて、その冷たい酔いの感触を胃の底にずっしりと抱えこんでいた時のこと。彼の髪に触れた。彼が私の口にキスをした。今でも私たちの関係は基本的には変らない。私は時々、ドキドキしながら、おずおずと彼の髪に指を触れる。彼の口が近づいてくるのを、ドキドキしながら待つ。十六歳の時の私の方がずっと大胆だった。

でも、彼にはなぜわからないのだろうか？　サハラ砂漠のどこかから持ちこまれた、二百年前の、ずっしりと重いドアを、どうして良いかわからずに途方に暮れている私の思いとか、乞食女に百ディルハムを与えてしまった私の、ねじきれるばかりの後ろめたさなどが。それが私なのだ。

一時、私はある男優と交際していたことがあった。虚無的で酷薄な美貌、それを助長するような独特の声の持ち主だった。つきあっているうちに、私が惹かれた要素は、全て役柄の上でのものに過ぎないということがわかった。生身（なまみ）の彼は、人見知りで、信じられないくらいシャイで、物静かな男だった。

役柄の上でなら、どんな破廉恥なことだろうと、どんなに気障（きざ）で鼻持ちならない男だろうと喜んで演じるけど、自分自身であることを表現するのは、実に照れ臭いのだと彼は言った。

長いこと、彼は、私が彼に無意識に求めている男のイメージを、人見知りでシャイな部分を含めて演じ続けた。愚かにも私はそのことに気づかなかった。最後まで気づかなかった。彼はその意味であっぱれな役者だったと思う。あるいは、私がそのことに気づきたくなかったのかもしれない。多分、その両方だろう。

もう疲れたよ、とある時彼が言った。精も根も使い果たしたという感じだった。もうこれ以上、あなたの男を演じ続ける体力も気力も残っていないと。そして彼は去った。

私もまた、自分自身について語るのが恥しいという種類の人間だ。自分自身を説明したくないのだ。

書くということは、全然別のことだ。プロフェッショナルな小説家となると、また更に次元の異なる話だ。小説は絵空事であり、役者が役柄の上で何でもやってのけるように——時には全裸をさらすように——臆面もなく内部を露出することができる。なぜそんなことができるのかといえば、臆面もなく露出している自分自身の姿が、きちんと見えているからだ。

ところが私自身には、私が見えない。自分が何者であるのかさえわからない。ペンを持っている時の私が何者であるかは知っている。私は巫女（みこ）だ。言葉の巫女なのだ。

受話器を握りしめたまま、私は言葉を失って黙り込む。彼は私に何を求めているのだろうか？　私の最も傷つき易い、柔らかい部分を差し出せと言うのだろうか。沈黙が苦痛になる。

「今日がどんな一日だったか話して」

と私が苦しまぎれに言う。

「例によって色々な人に逢ったよ」

それが彼の仕事なのだ。ある人物を別の人物と引き合わせる。その両者の間に商談やビジネスが成立する。かと言ってそこから手数料を取るというわけでもないらしい。インターナショナルなコンサルタント業かもしれない。不動産の売買とも無縁ではないようだ。けれどもそれは、彼のビジネスのほんの氷山の一角にすぎないらしい。アメリカのどこかの大学で講師もしているということだ。何を教えているのかわからない。訊いたことはあるが、環境とか都市計画のようなことだ、と想像するだけで、詳しくはわからない。第一私は戸籍調べみたいに質問するのが好きではない。相手が進んで話すのなら別だが、私の方から訊くことはめったにない。そんなわけだから、友人の中には、いまだにその人が何をやっているのか知らない人だって結構いる。知らなくても、気にならないし、知ったからと言ってその人物の評価が上がるわけでも、ましてや下がるわけでもない。

「面白そうな人いた?」

と私が訊く。

「一人ね。今度機会があったら、紹介するよ」

「今夜も人に逢うんでしょう?」

「二つばかりパーティーに顔を出して、ディナーが一つ入っていて、その後銀座で別の約束がある」

「そういうのって面白い?」

「仕事だからね」

と、彼は急に冷たく言う。気を悪くして当然だ。私が言いたかったのは別のことだ。あなたが今夜逢う人たちに、男も女もみんな——嫉妬するわ。でも私は決してそういうふうには言わないだろう。

「そうよね」と呟く。「電話をありがとう」

「じゃまた」と彼が言う。少しだけ声がよそよそしくなっている。「また電話をするかもしれない」

「つかまるといいけど。部屋にはめったにいないから」心とは反対のことを言う。

「そしたら、またかけ直すよ」

そしてわずかによそよそしいまま、私たちは、相手が受話器を置くのを待って電話を切る。彼が先に置く。

3　ラ・マムニア

午前中の大半と日没前の一、二時間を、私はホテルのプールサイドで過ごす。午前中はミントティーを何度もおかわりしながら、東京から抱えてきた原稿書きと、読書をする。疲れると、七ヘクタールの庭園の周囲を汗をかくほどの早足で散歩する。早足でないと、運動にならないからだ。

旅に出ると、私はいつも二キロばかり太ってしまう。庭園の散歩は夕方にも行う。庭園を埋めている樹木のほとんどは、オリーブだ。この土地では水は貴重だから、少ない水分で育つオリーブの庭園が一番経済的なのだろう。芝は大量の水を必要とするせいか、ごく一部に植えられているだけで、広い庭園は、赤い土がむきだしになっている。

溢れるばかりに水をたたえたプールは、さながら砂漠の中のオアシスを思わせる。人々は自然にその周りに集まり、他にすることとてないので一日中躰を灼いている。夥しい鳥たちが、水を求めて住みついている。プールサイドの樹木は、その葉蔭に数えきれないほどの小鳥たちを宿している。さながら巨大な蜂の巣のようだ。近くを通りかかると、その夥しい数の小鳥たちの気配を感じることができる。そして小鳥たちは日の出の直前と日没の直前に、いっせいにさえずり始める。その声は怖しいほどだ。

ラ・マムニアのプールサイドに、必ず昼食の一時間前に現れるフランス人の男が私の興味を引いた。

なぜ興味を覚えたかというと、彼が独りぽっちであり、その行動が毎日、判で押したように同じだからだ。

彼は替え用のシャツと水着の入った網袋を持ってやって来ると、いつものきまった椅子に陣取る。

たまたまその椅子を誰かに先に占領されていたりすると、実に悲しそうな、不本意な表情で、しばらくの間、茫然とした感じでその男なり女なりをみつめ、やがて諦めたように、そのあたりの空いている椅子に落着く。

それから、シャツを脱いで水着だけになると、全身に日灼け用クリームを塗り始める。そのことが彼にとってとても大事な作業ででもあるかのように、ていねいにゆっくりと塗る。

次に椅子の背を倒して、寝心地を何度も確かめ、ようやく本を開いて、読み始める。

急に日がかげると、男は慌ててシャツを着る。日が出ているのと、かげっている時とでは温度が違う。再び雲が行ってしまい太陽が顔を出すと、彼はシャツを脱ぐ。男はそれを実にこまめに繰り返す。マラケシュの上空にはたえず強風が吹いているためか雲の動きが早い。太陽は始終顔を出したり隠したりしている。男の動作を眺めていると、次第に落着かない気分にさせられる。

昼食の直前に、彼はプールに入り、端から端まで六往復する。クロールではなく、きまって背泳ぎだ。水から上ると、ホテルのタオルで水気を拭い、そのタオルを腰に巻きつけておいて、器用に持参した乾いた水着にはき替える。それからシャツを着て、ソックスをはく。しかし靴ははかない。

水着にソックス姿の男は、少し異常に見える。用意が整うと彼はプールサイドのビュッフェランチを取るために、そっちの方へ歩きだす。彼のランチの席もまた毎日きまっている。プールに一番近い二人用のテーブルに、プールの方を向いて腰をかける。こちらの方は狙った席にほぼ坐れる。十二時ぴったりにランチを始める人間はとても少ないから。

まず、ガス入りのミネラルウォーターの一リットル入りを注文する。彼はその日のビュッフェで一番美味しいものだけを一品のみ取って来て、ミネラルウォーターをゆっくり飲みながら、それを食べる。

最初に見かけた日は、カマスに似た小魚を四匹、炭火焼きにしたものだった。魚や肉は、氷を敷いたスダレの上に並べてある。好きなものを選んで、バーベキューコーナーへ行き、料理人に焼いてもらう。焼きたてを皿にとり、自分のテーブルへ運ぶというシステムだ。

たいていの人は、まず冷たいオードブルであれこれ皿を満たし、その半分以上を残して次に温かいものに移る。シチューやら、温野菜、クスクスやタジン、果てにはマトンのバーベキューやえびの炭火焼きなどをごちゃまぜにし、皿からはみでるほど持っていき、やはりたくさん残しておいて、デザートに移るというのが、世界中どこでも見られるビュッフェランチの光景だ。

その男は、みごとなまでに簡素だった。彼は四匹の焼き魚に、レモンをしぼりかけたものだけを、一匹残らず食べた。それ以外には何ひとつ手を出さず、食後にコーヒーだけを注文する。

その日、私は前菜にグリーンアスパラガスと、豆のサラダと、イワシのマリネを取り、メインにクスクスをとったけれど、ビュッフェの食事がどこでもそうであるように感激はしなかった。ソックスをはいた男の、シンプルな小魚の炭火焼きの方がはるかに美味しそうだった。

次の日の彼のランチは、仔牛(こうし)のレバーソテーだった。それをやはり野菜のつけあわせなしに四枚だけ、彼は食べた。その日は私も彼に倣って、同じ物を取り、前菜はグリーンアスパラガスのみにとどめた。そしてそれは正解だった。

水着姿にソックスをはいて、所狭しと並んでいる山のようなビュッフェから、たった一品だけ選んで食事をする男に興味を覚えたのは、私だけではない証拠に、時々、彼って何者なのかしら、と囁きあう女たちの声が聞こえる。

内分泌科医、書店のオーナー、アンティーク商、指揮者という職業を私は素早く思い浮かべる。他人とうまく関わりを持てないような感じからみると、精神分析医かもしれない。

男は日射しの中で、独りぽっちで黙々と食事をしている。とてもデリケートな顔立ちをした小さな男で、床まで届かない両足を子供のように時々ぶらぶらと揺らしながら、フォークの手を休め、ぽつねんとプールを眺めたりする。子供時代の顔立ちや姿が想像しやすい人がいるものだが、彼はまさにその典型だ。年をくった少年。ミッシェル坊や、と私はひそかに彼を名づける。

昼食が済むと、彼は、昼寝(シエスタ)のために部屋に上って行く。多分そうだと思う。そして翌日の同じ時刻、午前十一時まで、彼の姿をどこにも見かけることはない。

日没前の一、二時間、私は再びプールサイドに出て、斜めの日射しで腕や脚を灼きながらトムコリンズを飲む。一杯ですむことはめったになく、二、三杯はおかわりする。ラ・マムニアのプールサイドで出すトムコリンズは秀逸だ。たっぷりと大きなグラスに入ってくる。ガムシロップではなく砂糖で甘みをつけているので、いつも底の方に砂糖が沈んでいる。ストローで吸うと、ジンとライムの味が滲みこんだ砂糖が少し口の中に入る。それを溶かしながらトムコリンズを味わうのだ。夕陽色がプールサイドに広がる頃には、私は軽く酔い、とても良い気分だ。

私の親しい女友だちは、私に近づいてくる男たちを認めてくれない。利用されているだけだと言うのだ。私のお金がめあてだったり、出版社にコネクションがあることが魅力だったり、ただ有名な女流作家にくっついて歩くというだけで気分が良かったりしているのに過ぎないと。

それはそれでいいのではないかと思うのだ。それくらいのことで、私が失うものは何もない。私の方だって、彼らを利用したのかもしれないのだ。

「中でもあの男は最低だったわ」

と、女友だちは今でも言う。「あなたは彼と共作をしたという振れこみで、印税の半分を持っていかせたけど、あれは慈善事業よ。どこが共作なものですか。男にプライドがあったら、自分で自分が恥しいはずよ」

彼女の言葉に容赦はない。更に言う。「あの美男、あなたを口説く前に、私のところへも来たのよ。すぐに本性を見抜いてやったけどね。あなたがあの金色の二枚舌を最後まで見抜けなかったのには失望したわ。ベッドのことがよっぽど上手だったのね」

「私は彼とのあの二年間に書いた作品を、評価しているのよ」と私は答える。

「彼がいなくても、どっちみちあなたは書いたわ」

「でもあの作品は、あの人がいなかったら決して生れなかったのよ」

あるパーティーでいきなり声をかけてきた若い男と、またたくまに始まった関係。あれは、本当は何だったのだろう？　二年続いて、そして終った、決して短いとはいえぬ関係は——。

最初の一年間は、お互いに労りあうことと、優しくしあうことで過ぎ、あとの半分は、相手を暴き、傷つけあうことに終始した、あの関係。

色々あったけど、結局、彼は真に私を愛してはいなかったということに尽きるのではないだろうか。

彼は最初から、十五歳も年上の女の愛など求めてはいなかった。彼が求めたのは、友情だった。私には、彼が求めているものと求めていないもの、彼が維持したいと望んだ関係の質などが、ほぼ完璧にわかっていたと思う。

私の罪は、青年が切実に望んでいるものを与えるかわりに、彼に私を愛しているふりをさせたことだ。

私は彼にチャンスを与えた。共同執筆という名目で、二人で本を出版し、彼の名前が表紙に印刷された。その代償に、彼は私に肉体を与えた。

こんな言い方は自分に対してフェアじゃない。自虐的なのも度を過ぎると、傲慢でしかなくなる。私は一度も彼を求めたことなどない。けれども結局は情事はもたれたのだ。回避することもできたのに、そうしなかった。そのことは認めよう。

けれども私は死ぬほど恥しかった。結果的には、彼が差し出したものを私は受け取ったのだから。私が彼を受け入れることを自分に許したのは、快楽のためなどではなく、そんなためでは全然なくて、恥辱にまみれる自分自身を観察したかったからだ。

サガンには書けて、私に書けない世界があるとすれば、まさにそのことだった。年をくった女が、若い美貌の男との恋愛で嚙む悲哀。彼こそ、それ以上は望めないようなタイミングで私に与えられた生贄（いけにえ）だったのだ。私はそれを試食し、その味の苦さに身震いした。肉体はそこにあったが魂は不在だった。その屈辱の仕返しに私は彼を切り刻み、内臓もろとも紙の上にぶちまけたのだ。

最初から筋書きは頭の中に出来ていた。芝居は脚本通りに進められ、最後の彼の捨て科白さえも、私の筋書きの中にすでにあったものと、寸分も違わなかった。

四冊目の共同執筆の作業が終った時だった。私たちは、私たちの破綻に向かうプロセスを、彼は彼なりに、私は私なりに書き、それぞれの原稿を私が突きあわせ、ミステリー仕立てに仕上げるという作業を行っていた。二年の間に、彼はそこまでふてぶてしく成長していたのだ。

ミステリーには女流作家と彼女のゴーストライターである若い美貌の男と、女流作家の元俳優の夫と、ゴーストライターの若い恋人と、女流作家の女秘書の五人が登場することになっていた。

ゴーストライターと女流作家には、長い間肉体関係があり、最近になって好きな若い女ができ、女流作家との間を清算しようとしているという設定だった。それはそのまま、我々の現実でもあった。男の心変りを知って、女主人公は激怒する。もしもどうしても別れるというのなら、以後仕事は回さないと脅迫する。若い男はそれに対して、そんなことをすれば、これまで、誰が実際に書いていたのかという事実を世間に暴露すると、逆に脅かす。そして二人の間に、それぞれ殺人計画が進められる、というストーリーである。

彼の書いたものを読んで、私は彼に言った。

「今度のあなたの作品は、全く使いものにならないわね」

「どうして？　事実を書いたから？」

彼の作品は女流作家に対する悪意と偏見に満ちみちていた。彼は、私と、その女流作家とをぴったりと重ねてしまっていた。

「そうじゃないの。事実の部分はかまわないの。問題は、あなたが主人公に対して、何ら温かい感情を持ち合わさないことよ。作者が自分の主人公たちを少しも愛していなかったら、一体読者はどうすればいいの？　読者がどんな感じを抱くと思う？」

「さあ、どんな感じでしょう」

彼は肩をすくめた。二年目の終りの頃には、顔立ちまでも変っていた。服装に注意を払わなくなり、めったに笑顔もみせず、態度はほとんどいんぎん無礼だった。

「駄作」

「じゃ今まであなたが書いてきたものは駄作じゃないっていうの？」

いくらなんでもそれは言い過ぎだった。冗談にも程がある。私は彼に平手打ちを喰らわせることもできた。が、そうしなかった。相手を平手打ちにする内は、まだ愛情がある証拠だ。

「とにかくあなたの書いた部分は、今回、とうてい使える代物じゃないってことよ」

それが結論だった。「ただし、あなたがそれを望むのなら、あなたの名前も表紙に印刷してあげるし、印税も半分支払ってあげてもいいわ」

「手切れ金というわけですか」

「そうとりたければ、そうとってもかまわないわ」

それから私は一人でミステリーを書き始めた。ゴーストライターの若い恋人の女が突然に殺され、犯人は夫とわかる。傷心のゴーストライターを自ら運転するスポーツカーで送る途中、ブレーキがきかなくなって、主人公の女流作家とゴーストライターは、暴走する車の中で、自分たちの激突死を予測するというラストシーンで終る話を、二カ月余りで一気に書き上げた。

私はその中で、私と彼を含む全ての人間を抹殺し、彼との関係を完璧に終らせたのだった。

彼が私を怒らせた本当の理由について今考える。あの数行の文章を。――僕はあの女の全てが嫌だ。顔も躰も声も、あそこも。あの女の年老いた肉体は、嫌な臭(にお)いがする――。

その二年前に、彼はこう書いたこともあるのだ。――彼女を見ていると、僕の心は優しさで一杯になる。駈け寄って抱きしめ、もう何も心配することはないのだと言ってやりたい。いやそれでは充分ではない。彼女に僕を与え、歓びを授け、彼女が吐く息を僕が吸い、そのために僕は酸欠で死のうとも、全然かまわない――。

どちらが本当なのだろうか。どちらも本当なのだ。私は今でも彼を愛している。裏切り者の彼を。あの優しさに満ちていた前半の一年間ではなく、残酷だった後半の一年間の方を、私は愛している。そちらの方に、より真実味があるからだ。彼が怒り狂ったり、傷ついて青ざめたりする時の顔がとても好きだった。それはまぎれもなく彼の顔だったから。彼が私に優しく接する時、私は居心地が悪かった。彼が自分を偽っている時はいつも、私は不幸だった。後半の一年もの間、私を憎みつづけた男を引きつけておけた私自身を誇りに思う。ほんとうにそうだ。あれだけが、私たちの真実だった。

「遊びならいいのよ」

と女友だちは折りに触れて言う。「遊びに徹するんなら、あなたの選択してきた男たちに対して、私は何も言うことはないのよ」

そんな器用なことは私にはできないし、しようとも思わないと、私は答える。遊びで男たちとつきあったことなど、ただの一度もない。男たちとは命がけでつきあう。ただ、命がけだということを相手に感じさせないだけだ。

私は男たちのことを考える。たくさんの男たちのことを。私にそのひとのことを知りたいと思わせ、その男に属したいと欲した男たちのことを。

今、私はあのひとの頭の中に住みこんでしまいたいと思う。そしてあのひとの意識の隅々(すみずみ)に身をひそめたい。現在はもちろん、過去にまでも溯って彼に属したい。未来をたぐりよせ、その中に埋りこみ、その未来にも属したい。

けれども、私が、彼の過去に属することは不可能なのだ。なのに不可能を可能にしたいと熱烈に思う。未来に属することも、やはり不可能なのだ。私たちには未来はない。これまでの全ての男との関わりに未来がなかったように。

在るのは現在だけだ。今日もあなたのことを思って過ぎた。明日もあなたのことを思うだろう。このようにあなたのことを思っていることができるという幸せで、良しとしよう。ここの夕陽をあなたに見せたいと思う。風の匂いをかがせたいと思う。私が見たものを何ひとつ残らずあなたにも見て欲しい。
けれどもあなたはいない。あなたは私と同じものを決して見ることはないだろう。

〝ジェ・ジャクリーヌ〟は夜の十時を過ぎた頃から混み始める。客の半分はマラケシュ在住の外国人たちでいわゆる常連客。残りの半分は、私のように、ラ・マムニアのコンシェルジュにすすめられて訪れる一見(いちげん)のエトランジェだ。

その夜、私にはエスコートがいる。もっともエスコートなしでホテルの外へ食事をしに行くことは、まずありえない。

その男とは、それが初対面だった。日本を発つ前にあらかじめ、面白い男がいるから逢うといい、と紹介されていたのだ。その紹介者が連絡を入れてくれたらしく、ラ・マムニアにチェックインしたその日に、その見しらぬ男(ひと)から電話が入った。

何か役に立てることがありますかと、そのひとが訊いた。スークでも案内しましょうか、と言ってくれたが、それはガイドでも充分にすむことだった。けれどもガイドと町に出て夕食をする、というのは妙な話だ。

だったら、一夜、夕食の相手をしてもらえれば、とてもうれしいのだけれど、と私は答えた。

それなら僕もうれしい、と男は率直な声で言った。夕飯代が一回分浮きます。

それから、照れたように、ご馳走して頂けるのならの話ですが、とつけ加えた。もちろんご馳走します。私は笑って答えた。

約束の時間にホテルへ私を迎えに来てくれた男の風体は、私を少し驚かせた。背広にネクタイで現れるとも思わなかったが、フェズ帽をかぶり、ジュラバにカカトを踏みつぶした現地のはきもの姿は予想しなかった。

彼は日本人にしては大柄な上に、日に灼けた顔の下半分は髭に覆われているので、一見国籍不明に見える。髭は黒一色ではなく、白や赤や茶が混じっている。

「別に奇を衒ったわけではないんですがね。郷に入れば郷に従えというやつで、これでも僕が持っているうちで、一番良いのを着てきたんです。もっとも夏用に二枚、冬用に二枚っていうのが僕の持てる全てですがね。それで充分。汚れたら洗濯して、もう一枚のを着るという、サハラの原始的生活をいまだに実行しているのは、おそらくエトランジェの僕くらいのものでしょう」

こんなふうに書くと、彼は雄弁のように思われるかもしれないが、これだけのことを、ゆっくりと、多すぎるくらいの句読点をはさみながら、彼は喋った。本当はシャイで無口な人なのに違いないと、私はその時彼を優しい人だと感じた。シェ・ジャクリーヌを予約したけど、それでかまいませんかと訊くと、彼は真白い歯を見せて微笑し、シェ・ジャクリーヌのフランス料理が食べられるなんて、クリスマスと正月が一緒に来たようなもんですよ、と答えた。

店は満席で活気に満ちている。私たちが到着するとすぐに、女主人がにこやかに迎え、奥まったキャンドルライトの二人用のテーブルに通される。

「あなたがジャクリーヌ？」

と、私は小柄ながらなかなかボリュームのある赤毛の彼女に訊く。

「ええ、わたしがジャクリーヌ。よろしく」

差し出された右手を握る。小さな柔らかい手だ。その甲に老人性の染みが点々と浮きだしている。手の甲は残酷なまでに人の年齢を浮きぼりにする。私は彼女の黒々とマスカラでふちどられた眼から、さり気なく視線を店内に移す。「とても素敵なレストランだと思いますわ」

「ありがとう」

ジャクリーヌは私の連れとも軽く握手をし、二人はフランス語で挨拶をかわす。

その短くひかえめなやりとりから、二人が全く初対面ではなく、すでに知りあいらしいのを、私は感じとる。

それは二言三言にしかすぎないが、ひかえめであればあるほど、二人の間のさりげなさが作為的に感じられるという種類の会話だ。

しかし私はそのことに気づかぬ振りをして、あたりを見回す。窓際の一人用の席に、私のミッシェル坊やがぽつねんと食事をしている姿を見つける。きちんとネクタイをし、髪を撫でつけ靴をはいている。躾の良い全寮制のおぼっちゃまという感じ。思わずニヤリと笑うと、エスコートの男が私の視線をたどって彼を見る。私はプールサイドでのミッシェル坊やの様子を、かいつまんで話して聞かせる。

「あの男の正体を知ってますか?」

と、私がすっかり話し終るのを待って彼が訊く。「いいえ。あなたは知ってるの?」

彼はある有名なジュエリー・メーカーの名を口にする。

「そこのオーナーなの?」

彼がうなずく。

「でもそういう人って、ふつう宝石ずくめの、高級ブティックから出て来たような奥さんか若いミストレスを連れているんじゃないの？」

「僕に訊かんで下さいよ」と彼は苦笑する。

「でももしも僕があの男なら、やっぱりああするかもしれない。バカンスの時くらい宝石ずくめから逃げだしたいじゃありませんか」

メニューを持って戻って来たジャクリーヌが、私たちの話を聞いて、そっと耳打ちする。「あのひと、バカンスの間、毎晩同じ時間に現れて、あの同じ席で食事をするのよ、もう何年も」

私はミッシェル坊やのテーブルの上に置かれたミネラルウォーターの一リットルボトルを見て、微笑する。それから、眼の前の男にむきなおり、ミッシェル坊やのことを忘れる。

「質問していい？」

「仕方ないでしょう。初対面同士というのは、質問しあうしかないですからね」

「とは限らないわ。二度と逢うこともない人に質問をしてもそれこそ仕方がないでしょう。関わりになりたくない人に対しては、何も質問したりはしないものよ」

「何が女流作家であるところのあなたの興味をひいたのかわからないが、そういうことならば光栄です」

私は彼のその多少皮肉な言葉に対して軽く片方の眉を上げただけで無視し、いきなり訊く。

「あなたは世捨て人なの？　それとも無法者（アウトロー）？」

「どっちに見えます？」

男は面白そうに訊き返す。

「世捨て人に見せかけたアウトロー」

顎の下で手を組んで、私が答える。

彼は笑うだけだ。

「どうなの？」私も笑う。

「なぜ答えのわかっていることを質問するんです」

「確かめたかっただけよ」

私はキャンドルの光をみつめる。

「僕のことはすでに聞いて来たんでしょう。奴は何て言ってました？」

「文化人類学者」

「正確に」彼の眼は笑っている。

「落ちこぼれの、文化人類学者」私は思いきって言う。

「落ちこぼれた理由は？」

「世紀の恋の大失恋」

「以上。それが僕です」彼はそこで突き放す。

「なぜ、ここにいるの？」私は真面目に質問する。

「彼女のいる所から最も遠い国だから」

もう何度も同じ質問に答えた人のように、彼はそう言う。

ジャクリーヌが注文を取るためにひっそりと私たちの傍に立つ。ジプシー風の幾重にもなった黒いスカートから、ゲランのシリマーの香りが匂い立つ。ろうそくの光を浴びて、髪が燃えている炎のように赤い。ろうそくは、彼女のために夜毎にともされているのだ、と私はその時思う。彼女の髪をより赤く見せるために。年齢を二十歳若く見せるために。

「あの人が注文したものは何？」

と、私は窓際で独りぽっちで食事をしているミッシェル坊やを顎で指して訊く。

「ロティのムニエル」チラとその方角を眺めて、ジャクリーヌが答える。

ロティというのは白身魚のことだと、文化人類学者が説明してくれる。

「じゃ私、あの人と同じものを」

「とても賢明な選択だわ」

とジャクリーヌはうなずく。「ムッシュ・ルライエは、その日のメニューの中から一番美味しいものを的確に探しだして注文するのよ」

「知ってるわ」と、私もうなずく。でもその理由をジャクリーヌには説明しない。

「じゃ、当然前菜も、野菜のつけ合わせもいらないわね？」

したり顔でジャクリーヌが訊く。

「それでかまわなければ——。あとでデザートとコーヒーを頂きたいから」

「ちっともかまわないわ」

そして私の新しい友人、文化人類学者の方に向き、一瞬彼のファーストネームを口にしかけて、素早くその場を繕い「ムッシュ？　あなたのご注文を伺うわ」と首をかたむける。

彼はとてもていねいに、メニューをひとつずつ吟味しながら注文する。といってもグルメのいやらしさはない。とても謙虚で感じがいい。文化人類学者とジャクリーヌの間にはかつてお互いを必要とし合った期間があったのだと思う。そして二人は、その関係を解消し、友人同士になった。私は文化人類学者の抑制された優しさから、それを感じる。男は、かつて自分が性関係を持った女に対して、ある特別な労りを漂わせるものだ。そして女はそれをつつましく、しかし当然の権利として受け入れる。

自家製のパテと、シェフおすすめのメニューの中からパスタを添えた魚料理と、グリーンサラダを彼は注文し、ジャクリーヌがそれをメモして下がると、首をかしげて私に言う。

「ワインをとりましょう。僭越ですが、ワインは僕におごらせて下さい。モロッコにもけっこういける地酒があるんですよ」

「ご心配なく。今夜は全て私のおごり」

「ワインは僕が払います。ご馳走したいんです」

彼はきっぱりとそう言い、ソムリエに眼配せをする。私は彼を観察する。

失恋の事実はあったこととして考えても、なぜモロッコなのか。日本から一番遠い国だからという理由も一応はわかる。しかし、彼を徹底的に叩き潰した恋愛事件があったのは、すでに十七年も前の話だと聞いている。いまだに失恋の続きをやっているとは信じ難い。

「何を考えているんです？」

と彼が訊く。

「あなたのこと。失恋の他に何があるのかと思って。何があなたをここに引き止めて放さないのかと考えているの」

あなたは妙な女だ、と彼は呟く。初対面のたった三十分の内に僕の核心に切りこむ質問だけを二つした。他の人は、あたりさわりのないところでお茶を濁すのに。

「たとえば？」

「どこの出身だとか、毎日何をして生きているのかとか、ここへ来て何年になるかとか、日本料理が懐しくないかとか、結婚しているかどうか、あるいはモロッコの女はどうなのかとか――」

「血液型は何で、生れた星座は何かとか――？」

「少なくとも、モロッコの観光で来たわけだからマラケシュの名所旧跡についての質問が出ても良さそうだけどね」と彼は苦笑する。

「名所旧跡には興味がないんですもの。人の行くところへは行きたくないの。私はいつもまっすぐに自分の行きたいところへ行くのよ」

「らしいですね。それは人間でしょう？　で、僕の核心にズカズカと踏みこんで来たわけだ」

「時には自分でも無作法だと思うわ」私はまっすぐに彼を見る。「でも、時間がないのよ。あたりさわりのないところから始めている時間がないの」

「いきなりやって来て、手を差しだし、欲しいものをくれと言い、そいつをつかんでドロンですかね。ま、いいでしょう。僕のような男に、何かさし上げるものがあれば奇蹟ですがね。何が知りたいんです？」

私たちはグラスに注がれた冷たい地酒を口に含む。荒々しい大地の味がする。彼の穏やかな口調で言われた私への批難は、その穏やかさゆえに私をひるませる。

「失礼しました。あなたを傷つける気はなかったんですよ」

とやがて彼が言う。彼の言葉はもっともだから謝る必要などないのに。彼が続ける。

「あなたを見ていて、昔の、まだ無防備で情熱的な好奇心をもっていた頃の——つまり前途有望な文化人類学者の卵であった頃の、僕自身の姿を思いだしましてね」

「それ……つまり、幼いってことよね」と私が苦笑する。

「違いますね。無防備だということ。それはともかく、のこのこと人の土地へ出かけて行って、一番面白そうな人間の家へ押しかけ、なんだかんだとそこに居坐って何日も、時には何ヵ月も居候し、相手から奪うばかりで自分は何ひとつ家賃はおろか食事代さえも払わず、与えるべきものがなかった時代のことです。むろん肉体労働はしました。彼らと共に働きました。彼らには文化があった。西アフリカの原住民の暮しの方がある意味ではるかに豊かで充実していました。僕の方には何もなかった。頭の中につめこまれた知識の他にはね。そしてそんなものは何の役にも立たなかったからね。僕ときたら、雨の中で火を起こすことすらできなかったんだ。

それは別の問題として僕自身の興味も人間そのものにありました。ところが学問や知識からは人類学は学べないんです。人間が使う言葉というものは、時として実に不正確なんだ。学問上の人類学というのは、言葉の上べだけで過去へと後ずさりしているようなものなんです。あなたが世捨て人と見せかけたアウトローと僕を評した時、実は驚いたんです。驚いたなんて生易しいものじゃなかった。突き刺された。――なぜモロッコにいるかという質問に答えれば、マグレブの文明の中に、僕の求める古典があるからです。後戻りではない古典がね。これで答えになりますか？」

それから彼は、一呼吸して、私に質問する。

「あなたは、なぜモロッコへやって来たんです？」

「〝外人部隊〟〝モロッコ〟〝カサブランカ〟」と、私は往年の名画のタイトルを呟く。

彼はそれに続く言葉を待っている。彼に対して真実を語ることを求めておきながら、自分の方が心を開くことに躊躇を覚える。それは、彼が観念ではなく現実を生きている男だからだ。彼は、まぎれもなく生活者だった。私はミッラで見かけた、しなびたリンゴ売りの老婆を思いだす。彼女は何も怖れてはいなかった。失うものが何ひとつとしてないのだから、恐怖はないのだ。リンゴがひとつあり、売れても売れなくても彼女の小さな胃袋は満たされる。

彼もまた、向こう側の人間なのだ。私は自分を飾りたてている装飾品の過剰さを意識する。左手首のロレックスの金時計は、豊かさの証ではなく、心の貧しさの証明のような気がする。

「本当の目的は――」と、自分をふるいたたせるような思いで口にする。「ハムシンを探しに来たのです」

「シロッコのことですね？　サハラ砂漠から吹いてくる熱い風――」

文化人類学者の瞳の中で、何かが柔らかくなる。「メクネスにあるムーライ・イスマイール王の王宮の廃墟へは、行きましたか？　〝風の門〟を見ましたか？」

文化人類学者の口から聞く独裁者の名の、なんと美しく響くことか。ムーライ・イスマイール。風の門。

「いいえ」と私は首を振る。「イスマイール王のことを聞かせて。風の門について話して」

彼は私の言葉に応じて、ぽつりぽつりと語り始める。アラウィー朝第二代のムーライ・イスマイールが一六七二年にメクネスを首都にしたこと。広大な王宮の中には五百人の妻妾、千五百人の子供たち、無数の奴隷や宦官たちがいた。独裁者で暴君だったが、最もベルベル的な聖者(マラブ)でもあった。彼の母は黒人奴隷だった。数万にのぼる彼の親衛隊もアビドと呼ばれる黒人奴隷だった。王に絶対服従の親衛隊の力で諸部族を制し、外にはオスマン・トルコのカリフ権をも拒否した。キリスト教徒を嫌悪し、海賊行為を繰り返した。現在はメクネスのムーライ・イスマイールの墓廟に眠っている。

〝風の門〟は、現王宮の北西にある——ことなどを、彼は淡々と話す。

「ベルベル人というのは黒人なの？」

私が質問する。私のガイドはベルベル人だった。彼の話によるとモロッコの人口の六十パーセントはベルベル人だということだった。

「とは限りませんね。北部の方の主として農民のベルベル人は、背が高く髪は赤毛か金髪、皮膚も比較的白く、瞳は淡色。顔立ちはデリケートで彫りが深く、鼻も高くかぎ形」

いかにも人類学者的に彼は答える。「一方、サハラのオアシス、ガルダイア地方のムザビッド族は、反対に背が低く皮膚も瞳も真黒だ。頭の幅が広く顔立ちは平面的。更にサハラの中部までいくと、肩がいかりごつごつとした闘争的な感じが強まり、皮膚、毛髪、瞳は黒みを帯びている。覆面をして駱駝に乗っている放牧民の写真を見たことがあるでしょう？　それがトゥレアレグ族ですよ」

彼は自家製パテを、薄切りのバゲットに塗りつけ、口へ運ぶ。そしてとても美味しそうにそれを食べ、白ワインで流しこむ。そしてまた同じ動作を繰り返す。これほどまでに食べることを純粋に楽しむ人を、私は他に知らない。彼がそうやって食べるのを、いつまでも見ていたいような気がする。

「ベルベル人は、父ノアの呪いによって皮膚を黒く変えられたハム族の子孫だとしたのは、アラブの歴史家エス・スーリらですが、ゴリアテの子孫とする説もあり、ユダヤ人やアラブ人に先祖を求める学者もいます。僕自身はリビアのガラマント人に先祖を求める説に、ほぼ同意しています」

すっかりと平らげた前菜の皿を軽く押しのけ、不意に彼は私に訊く。「で、サハラの風の印象は？」

今度は私が話す番になり、カサブランカのアリ・ラシード・ラフマーン氏との出逢いと〃風の詩〃について語る。すっかり語り終るのを待ち、彼はいい話だ、と呟く。そして坐り直し、両膝に両手を置き、急に改まった態度で、彼は頭を垂れると、こう言う。「さっき、僕は、あなたについて、相手に手を差し出し欲しいものをくれと言い、自分の方は何も与えることもなくそのままドロンですか、と言いました。そのことを深く恥じ、今では反省し、訂正します」

そんなに恐縮されるとどうして良いかわからない、と私は困惑してうつむく。

「今のあなたの話を聞いて、僕の方こそ、一体何を提供したのだろうと思った。歴史的な事実や人類学の一端を、ただ説明しただけではないか。それは何も僕だけのユニークな考えでもなければ発見でもない。僕でなくとも、他の人間でもそっくり同じことが言える。それ以上の知識を語ることができる。偉そうに言って、僕はあなたに何も与えてはいなかった。

それなのに、あなたの方は、あなた自身の言葉で、あなたの心に起こったことを話してくれた。あなたでなければ決して話せないことを、僕に話してくれた。落ちこぼれの世捨て人であるこの、とるに足らない僕に——」

彼は眼を上げ、心をこめて、ありがとうと言う。私はそのありがとうを誠実に受けとめる。

実は、と文化人類学者は続ける。東京の友人からあなたのことで連絡を受けた時、気分が重かったのです。

日本人だということで、まず気が重かった。女性だと言われて、ますます重くなった。更に作家だと聞いて、かんべんしてくれという気分でした。

結局、連絡してみると約束したのは、僕の中で、たいていのことはもう実にどうでもいいからでした。ほんの一、二時間、我慢すればそれですむことなら、わざわざマラケシュまで高い金を払って国際電話をして来た友人の顔を、潰すまでもないことですからね。

あなたのホテルに電話をして、あなたに実際逢って愕然としたことには、あなたは僕が逃げ出して来たものを全て体現していたことだった。二時間も、あなたを前にして、無礼なことを一言も言わずに過ごせるかどうか、ほとんどパニックでした。

そこで彼は黙る。長いこと沈黙した後で言う。あなたに逢えてほんとうによかった。それが今現在の僕の本音です。

彼は私を買い被っているのだ。彼は私が言わなかったことについて、何も知らない。私が男たちに対してしてきたことや、仕打ちを知らない。私は言葉もなく首を振る。

ミクロネシアの海で鮫に喰われてしまった男や、ニューヨークのピエールで一晩中まんじりともせず私を待ち続けた男の、声にならない声が聞こえる。男たちは最後に石のように黙りこむ。

あなたに逢えて本当に良かった、と再び彼が私に言う。再び人間に興味が持てそうです。でも、あなたは誰に対してでも、あんなふうに無造作に淡々と、自分の魂を差し出すように、話をするのですか?

そうだ、と言ったら彼は傷つくだろうか？　私は誰とでも話をする。誰とでも関わりたい。けれども、この国の人々は最も残酷な形で私をしめだす。あの物乞いの女。あれほど執拗に私自身につきまとっておきながら、私から何も受けとりはしなかった。百ディルハムの他は。そしてあの老婆。リンゴを転がしながら、ただの一度も私を見ようともしなかった。私は、この国で、完璧に無視されている。私を無視する人々に対して、私は関われない。語るべき言葉を持たない。人と決してコミュニケイトすることなく、自分の欲しいものを必ず手に入れている人々が、ここには確かにいる。

ふと見ると、ジャクリーヌと視線が合う。いつから彼女は私を見ていたのだろうか。燃えるような赤毛にふちどられた小さな顔の中で、眼だけが異様に大きく見える。彼女は眼だけに化粧をほどこしている。唇は青ざめてほとんど血の気がない。ジプシーのような暗い瞳。私と視線が合うと、あるかなきかの微笑を口元に滲ませて、ショールの胸元を掻き合わせる。ショールは黒く長いフリンジが床まで届いている。

ジャクリーヌの肩には、いつのまにか一羽のオウムが止っている。彼女の手が無意識に、その鳥の背を撫で続ける。緑色とオレンジのオウム。眼を閉じて、愛撫に身をまかせている。気持ちが良いのか耐えているのかわからない。ジャクリーヌの肩にくいこむ鳥の爪がグロテスクに見える。

ドアに新しい客が姿を現す。ジャクリーヌはゆっくりとオウムを止り木に戻し、その頭を軽く叩いておいて、客の方へ歩き出す。

客とジャクリーヌが話を始める。バカンスでやって来た二人連れだ。二人ともよく灼けており、共に痩身ですらりとしており、男も女もかなりの美形だ。そして二人とも白い服装をしている。バカンスの二人は、兄妹のようによく似ている。

二人の美しい男女との対比で、ジャクリーヌは年取って、みすぼらしく見える。彼女が店内を示し両手を広げ、肩をすくめる。どうやら予約なしの客らしい。

二人はあきらめ切れず、デザートを食べているテーブルを無遠慮に指さして、また何か言う。ジャクリーヌが首を振る。ついに、若い二人はあきらめて、荒々しく踵を返す。ジャクリーヌは愛想良くそれを見送る。

「流行（はや）っているのね」

と私が呟く。

窓際のミッシェル坊やは、例によって、ちょっと茫然としたような横顔を見せて、夜のパティオを眺めている。彼の前にはエスプレッソの小さなカップが置かれている。

ジャクリーヌが、彼の肩にそっと手をかけて何か囁きかける。ミッシェル坊やがうなずく。

相変らず笑顔は見せないが、彼がその接触を不快に思っていないことがわかる。

「彼女は、孤独な人間に対しては優しいんですよ」

文化人類学者が言う。「さっきみたいな、頭の先から爪先までピカピカの幸せな二人連れには、実に冷たい」

あなたも、彼女に優しくされたのね、かつて。私は目顔で問いかける。

彼の眼はそれを否定しない。けれども今ではもう彼女の優しさを必要としていないのがわかる。

私は、ジャクリーヌが優しくした男たちのことを思う。そのために彼女を汚してしまった優しさのことを。

別れは修羅場にならないのだろうか？　私はそのことをきいてみたいような気がする。

何？　というふうに彼が微笑する。私は首を振る。あなたは何かにとりつかれると、それがたちどころに顔に出るね、何が知りたいのですか？

彼女がどんなふうに捨てられた女を演じるのかと思って。できるだけさりげなく私が言う。

「彼女は捨てられない。彼女が、男を捨てるんです」

静かに彼が答える。

「母猫がある時期から急に、自分の子猫に対して邪険にふるまいだす時がありますね？　時には本気で噛みついたりして、うるさがる。まるで掌を返したように。あれと同じです。彼女が追い払うのです。子猫に自立の用意が出来たという訳です」

私はジャクリーヌを眺める。母猫であるところの女を。

「今も、子猫がいるの？」

彼は首を振る。「今はオウムがいるだけです」ミッシェル坊やが会計の合図をする。ジャクリーヌがうなずく。

私はデザートのかわりにコニャックを注文する。彼にもすすめる。頂きます、と答える。

「日本へは戻らないつもり？」

と彼に訊く。

「僕の墓地は砂漠ときめていますから」

と彼が答える。「砂は清潔なものです。屍肉もウジも、腐った血も全く呑みこんで、僕を真白い骨だけにしてくれるでしょう」

彼の骨はきっと美しいだろう。あの人も――。突然私は破綻してしまう。あの人も海の底で、今ではほっそりとした骨だけになって沈んでいるのだろう。鮫の顎と歯が最初に彼に喰らいついた時、彼はまだ生きていたのだろうか？ 私は両手に顔を埋め、うつむいたまま、じっと耐える。その間、人類学者は黙っている。泣くまいとして下顎が震える。辛うじて震えが収まる。ナプキンで鼻を押さえ、眼尻を拭う。危機は去った。彼がそっとブランディを押してくれる。私はそれを二口で全部飲む。

「明日、〝風の門〟に行ってみようと思うの」

彼がうなずく。

「ご案内しましょう」

「ありがとう。でも一人で行くわ。一人の方がいいのよ」

彼がブランディを飲んでしまうのを待って、私はジャクリーヌに合図をする。ほどなく彼女が伝票を持ってやって来る。

「お食事はお気に召して？」

「ええ、とても良かったわ。ムッシュ・ルライエには脱帽ね」

私は四百ディルハムを置く。文化人類学者がその一枚を取って私に返し、六十ディルハム自分で払う。

「ワインは僕のおごりです」

私は逆らわないことにして腰を上げる。

ジャクリーヌと別れの握手をする。彼も彼女と礼儀正しく握手をする。そして私たちは店を出る。

ホテルの玄関の前で、人類学者と別れる。手を離した時、彼と二度と逢うことはないだろうと思って悲しかった。私がシェ・ジャクリーヌのテーブルで突然破綻してしまった時、完璧にそれを無視してくれた彼の優しさが、せつない。

遠ざかる男の後ろ姿を見送る。ジュラバの裾が波のようにひるがえる。彼は一度も振り返らず、ホテルの門を右へ折れて、そして消える。

その夜夢を見た。私は樹海の中にいる。自分が〝門〟を探しているのがわかる。樹海の中をうろついている私自身の姿が、俯瞰して見えている。門は樹海の北側にある。とうてい行きつけないということが、私にはわかる。

樹海は砂漠に囲まれている。そこに待っているのは死だけだ、ということもわかっている。けれども私は必死で門を探している。

全ての夢がそうであるように、なかなか目的地に達しない。そればかりか、次から次へとおよそ奇想天外な障害物が出て来て私の行く手をはばむ。顔を布で隠したベドウィンの集団に追いかけまわされて悲鳴を上げ、彎月刀を振りかざした真黒い男に襲われて逃げ迷う。真黒い男は、私のガイドだ。

樹海がいつのまにか、雑踏する市場に変っている。小売り屋や攻撃的な商人や、物乞いの女や老婆が歩いている。その他にも知った顔が何人もいる。私は彼らに見つかることを怖れて、身を隠している。

けれどもすぐ見つけ出されてしまう。路地の奥へ奥へと逃れて行く。

ついに突き当りに追いつめられる。私の背後には何十人という人々が押し寄せてくる。追いつめられた右手にドアがあるのを見つける。頑丈な木製のドア。アンティークのドアの店で私が買い求めたものだ。

ドアに手をかける。背後の人々はもうすぐ近くまで来ていて、私の背中や肩に手を触れるものもある。ふりむくとネイザン・モッシャがいる。あの人もいる。追手はいつのまにか私の知っている人々に変っている。

けれども私はドアを開くことができない。なぜか知らないが、恐いのだ。死にもの狂いで、最後にドアを押してその中に足を踏み入れる。そこはコバルトブルーの珊瑚礁の海だ。

眼を見開いたまま沈んでいく。

海は比較的浅くて、すぐに白砂の底に着く。風紋に日射しが当ってキラキラしている。私は砂の上を不安な思いで歩きまわる。白骨が、それも夥しい数の白骨が、砂の間から突き出している。私は、あるひとつの白骨だけを探し回っている。ものすごく熱い。そう思ったとたん、海底ではなく、砂漠の中にいる。熱風が吹いてきて、あたりの砂を吹き散らしていく。風紋が、生きもののように流れる。

砂の中から、純白の骨が突き出してくる。それが完全に姿を現すと胸骨だということがわかる。

シロッコは、胸骨の間を吹きぬけていく。私が探していた〝風の門〟はあれなのだ。

するとあの骨は私のものだということがわかる。それはどうしようもなくそうとわかるのだ。

胸骨である私の中を、熱風が吹きぬけていく。私の骨はたちまち汗にまみれる。

そこで眼が覚める。室内は熱く、ベランダに通じるドアが大きく開いている。そこから風が吹きこんで来ているのだ。夢であったとわかった後も、私の心臓は早鐘のように打ち続けることを止めない。

シーツが汗を吸って、湿っている。私は起きだして、失った水分を補うために、生ぬるいミネラルソーダを口に含む。夢の恐ろしさで、まだ手が小刻みに震えている。

ベランダのドアから熱風がまた吹きこんでくる。夢の中で私を追いかけた人々の顔を思いだす。次々に思いだす。その中に、あの人の顔もある。

なぜあの人までが私の過去に入りこんで、私を追い払うのだろう？　まだ何も二人の間は真には始まっていないのに。私はすでに、私たちの結末を見たのだ。彼の無関心で酷薄な表情と共に。

膝をかかえて、冷たい床のモザイクのタイルの上にじっとうずくまっている。

心臓が平常に打ち始めると、腕時計を眺める。東京は午後の八時だ。彼はまだオフィスにいるだろうか。

あの人が他の男たちとは違うのだと、なぜ思い続けていたのだろう？　どんなに先に延ばしたとて、それはいつかいずれ始まり、そして終るのだ。

私は電話のコードを引っぱって来て、再び冷たいタイルの上に坐りこみ、それを膝の上に置く。

息を深く吸いこみ、吐きだし、もう一度同じことを繰り返す。それからダイヤルを回し始める。長い数字を一度もまちがわずに回すことができる。私の指はいつものように震えもしなかった。

先方が出る。あの人ではない。名前を告げる。そして待つ。彼はいる。夢の中で私を追って来た時の、無表情で冷たいあの人の顔を思い浮かべる。

相手が出る。とたんに私は言葉を失う。言いたいことがたくさんあると自分に言いきかせる。だけど言いたいことは何もない。すでにあまりにもたくさんの言葉をこの年月、まき散らして来てしまった。

口を無理に開きかける。何か、違うことを言いたかった。使い古していない言葉で。過去、男たちに言って来たようなことを言いたくない。

どうしたのか、と相手が訊く。また失語症が起こったみたいだね。

私は受話器を握りしめたまま、何度もうなずく。何度も。彼に見えますように。

「彼には逢った？　落ちこぼれの文化人類学者」

私はまたコックリする。喉が引きつれるみたいだ。

「とっつきは悪いけど、本来優しい男なんだよ」

彼は、文化人類学者について、話し続ける。私はひたすら耳を傾けている。言葉が途切れる。電話線で結ばれた沈黙を、とても恐ろしいと思う。

その時、夜の中に一日の初めの祈りをうながす大音声が響き渡る。その叫びは、サハラからの熱風に乗って、私の部屋に流れこむ。津波のようにうねりながら流れこんで充満する。

彼がその声を聴いたのがわかる。彼は聴いている。暁の声を。彼は、今、私が聴いているものを聴いている。深い感動で躰が小刻みに震えだす。

ずいぶん長い時間がたって、やがて彼が言う。

「なんて遠い声だろう。——きみがとても遠くにいるような気がする」

私はあなたをかつてなく近くに感じている。一緒にマラケシュの声を聞いたのだから。彼は声の印象を語り始める。

室内は耐え難いほど熱くなっている。あのベランダに通じるドアを閉めなければならない。熱風を閉め出さなければ。彼にはわかるだろうか。夜明け前のこの夜の終りが、すでに燃え上がるほど熱いということが。汗がとめどもなく流れ落ちる。受話器を握りしめていることができない。

私は少しでも冷たい床と、壁面を求めて、躰をわずかにずらせる。私が喋っている途中で、急に何にも言わなくなっても驚かないで、と私は彼に言ってある。彼は既に経験ずみだ。私が石のように黙りこくってしまうと、彼は一人で喋り続ける。あなたの顔が、恐かった、夢の中で。あなたは私を追い払う人々の一群の中にいた。あなたは彼らと一緒に、私をあのドアから突き落した。

もっと酷い夢を見たことだってある。実の兄と性交する夢を見たこともあるし、父親に殺される夢も見た。物陰から次々と男たちが現れて、様々な方法で私を捉えようとする夢は、繰り返し見る。それから押しつぶされる夢。

黒いテーマの夢。徹底的に黒いもので構成される夢だ。夜の海、黒い獰猛な犬、その犬をつなぐ黒い鉄の長い鎖。出口のないトンネル。黒い僧衣を着た二人の尼僧、夜の中を走る列車、黒人の車掌、そこの食堂で出されるチョコレートケーキ、黒いトックリのセーターを着ようとして、引っぱれども引っぱれども頭がぬけない私――。

考えてみれば、ほとんど全て私の夢は黒いもので構成されている。夢の中で私に襲いかかった大きな犬は何種なのだろうか。耳が長くたれ下がり、わずかにカールした長い黒光りする毛で全身がおおわれていた。ふさふさとした尻尾。眼の中まで黒く、憎悪に燃えていた。あれほどまでのむきだしの憎悪を見るのは初めてだ。私の喉を狙って大きく開かれた口の中も黒かった。熱くて生臭い息。

この黒い犬と、二人の尼僧は、必ず組になって私の夢に現れる。猛々しいものと、ひっそりと背を向けて囁きあう尼僧と。

彼女らは私に危害を加えない。ただ二人でひそひそと囁きあっているだけだ。私が近づいてもふりむかない。背中を見せて、私を見ようとはしない。

彼の声が私を現実に引き戻す。室内に、白い粒子が漂い始めている。夜が終ろうとしているのだ。

「そろそろ切らなくては」

声に当惑がまじる。「まだそこにいるの?」

私はうなずく。まだ聞いているというしるしに、送話口を爪で引っかく。「切るけど、いいね？」

私はまた引っかく。けれども彼は電話を置かない。置けないでいるのがわかる。彼が私を心配なのだと言いたいのがわかる。

「あとで人類学者に連絡をしておくよ。きみをそこから連れだしてもらうアレが始まる。しばらく前からすでに始まっている。痛みが内臓を切り裂いていく。

不意に、私の手から受話器が落ちて膝に当り、タイルの床に転がる。それをつかみ直そうとするが、つかめない。握力はすでに失われている。床を伝って微かに声が響いてくる。

そこに覆いかぶさり、私は床の上の受話器に耳をあてる。私の名を呼ぶ彼の声をとらえる。それに応える方法はもうない。送話口を引っかく力さえも、私にはない。私の名を呼ぶ声が続く。私は本体の二つのボタンの上に掌を置き、そこに体重をかけてひと思いに彼の声を消してしまう。

それから床の上を転がっていき、コーヒーテーブルの上に並べてある石を両手につかむ。

風の中をヨットが疾走する。疾走するヨットが更に風を起こす。舵を握る彼の手は日灼けしている。スピニカが臨月の妊婦のお腹のようにパンパンに膨らんでいる。

「風自体には音がないんだわね」

と、私は不意の発見に驚きながら言う。私の声は、唇から出たとたん、二十一ノットの風に吹き飛ばされて、彼の耳には届かない。

何て言ったのか、と彼が耳に手を当てる。

私は同じ言葉を叫び返す。

私が耳にしているのは、私の髪があおられる音だ。スピニカやマストがたてる叫び声だ。海面でさからう波の叫びだ。風には声がない。風は無言で、ただ吹き過ぎる。

彼は私の意見に賛成しない。彼は風の恐ろしい叫び声を何度も聴いたという。何日も何日も海上で吹き続けた壁のような風について私に話してくれる。

全ての帆を降ろし、エンジンも止め、ひたすら風の吹き過ぎるのを待つしかない数日間について。

あれは、風なんてものじゃない。叫びそのものだ。三日もすると、発狂しそうになる。どこにいても聞こえてくる。トイレの中にうずくまって、何時間も耳を押え続けていることだってある。眠りの中まで入りこんで来る。クルーは次第に殺気だってい き、ささいなことで、怒りを爆発させる。下手をすると相手を殺しかねないから、刃物類は隠してしまわなければならない。

風に音がないなんていうのは、あまりにも情緒的だよ。あの風が吹き止む頃には、僕らはげっそりと痩せてしまうんだ。僕らはその風を〝狂風〟と呼ぶんだけどね。

私は冷えたワインとクッションを持って舵を握る彼の傍にうずくまる。ひとつのグラスから交互に飲み、彼が火をつけた煙草を分け合う。

「日が暮れるまでに、どこかに着く？」

彼がうなずく。彼がうなずくと私はいつもとても安心する。約束通り陸影が近づいた頃には、私たちはワインを二本空にしている。航程の最後は夕陽の中をひた走る。そこでは、風に色がある。でもそのことを私は胸に秘めて言わない。

私たちが錨を下ろしたのは、レストランがひとつだけある小さな入江だった。他にも先客の大小のヨットが、行儀のよい小学生のように、きちんと並んで停泊している。小さな入江のこれまた小さな砂浜は、日没の後々まで、オレンジ色を止めている。

砂浜に点在するココ椰子が次第に黒いシルエットに変っていくと、レストランの灯りが陽気にまたたき始める。海面を伝って、ボサノバのリズムが響いてくる。私と彼は甲板に並んで坐って、レストランの灯りを眺めながら、新しいボトルからワインを注ぐ。

停泊中のヨットから、人々がゴムボートや小さなボートに乗り移って、レストランのある浜辺に向かうのが見える。私は彼に、何年か前に行ったトルコとギリシャのクルージングの時の話をして聞かせる。毎日、違う入江に寄港して、そこにあるたった一軒のレストランにくり出して行った時のことを。

「ある時、少し早く着いたの。日没まで時間があったので、トルコの村を散歩しようということになって、下船したのよ」

埃っぽい貧しい村で、オリーブの樹の他はトゲのような葉をもつ低い繁みしか生えないような土地だった。地に這うような感じで、民家が点在していた。猫がやたらに多かった。夕餉(ゆうげ)の仕度の煙がまっすぐに上っていて、子供たちが水汲みから帰ってくるのに出くわした。小さな男の子や女の子が、大人でも重いバケツ一杯の水を、運んでいた。女の子は頭にのせて、片手だけでバランスを取り、男の子は片手に下げ、時々それを持ち替えた。私たちの仲間の男たちが手を貸してやろうとしたが、子供たちは笑うだけで決してバケツをあずけなかった。

「ひとりの女の子が走り出て来たの。小さな花束を差し出して、私を見上げた。その時、私たちの誰も小銭を持って来ていなかったのね。で、買えないって首を振ったの。すると女の子は悲しそうな、驚いたような表情で、『ノーマネー』と叫ぶと、私の手に小さな花束を押しつけて走り去ったわ」

私はその場に釘づけになってしまい、花束を心臓のあたりに押しつけたまま、動けなかった。思いだしたようにありがとう、と叫んだけど、すでに女の子はどこかの家の中に駈け込んでしまっていなかった。

その花束はすぐにしぼんでしまったが、クルージングの最後の日まで、私の小さなキャビンに置いて、ヨットを降りる時、海に流した。

「そろそろ我々も出かけようか」

と彼が言った。それから私たちはレストランまでゴムボートで出かけて行った。

その夜私たちは、私たちの関係について一晩中話し合った。私にとって関係というのは話し合うことではなく、そのようなものになっていくことだったので、とても不思議な気がした。

時々、二人の間の緊張感を解くために、ベッドを共にする方がよいのではないかと思うのだが、彼は二人の間の緊張感こそを、大事にしたいのだと答える。

そんなわけで、私たちの間には、いまだもって情事がない。食事をするために逢ったり、小旅行を一緒にすることはあっても、私たちが知っているのは、お互いの唇の味だけである。

彼は自分の家庭のことを時々私に話す。子供たちのことを話す時には父親の顔になり、妻のことを話す時には、その女(ひと)の夫の顔になる。彼の顔に浮かぶ微妙な変化を見るのが、私は好きだ。父親の顔の彼が好きだ。私の知らない女の人の夫である彼の顔も好きだ。私は、親友を得たのだと思う。

床に転がっている受話器をフックに掛ける。握力は戻っている。起き上ってベランダまで歩いて行く。

すでに朝が始まっている。空気が砂埃のためにほとんど黄色味を帯びている。カラカラに乾いた小さな繁みが、根っこごと、転がっていくのが見える。背後で電話が鳴っている。もうかなり前から鳴っていたのに違いない。

戻って行って受話器をとる。

「失語症はもう治った？」と彼が訊く。

「治りました」

「まだそこで一人でがんばる気？」

「ええもう少しいてみようと思います」

「予定より長引きそう？」

「そうなるかもしれないわ」

「取材は進んでいる？」

「探していたものは見つかったわ」

私は風に眼をやる。黄色い風に。その熱い息を胸一杯吸いこむ。

「じゃ帰っておいでよ」

彼のその言葉は甘く響く。

私は幸福だ。あまりにも。そんなにもたやすく幸福に自分をゆだねてしまいたくない。今帰れば、私はその足でまっすぐ彼の胸に飛びこんでしまうだろう。

「もう一度言って」

「帰っておいで」

と彼は繰り返す。私はその声を耳の中に吸いこむ。

私は彼に属している。同時に私は私の家族に属している。私は誰かのものでもあって、誰のものでもない。それが今ならよくわかる。

言葉を拾い集め、刈りこんでいく作業の中で、私が真に関わりたいのは、この私自身だ。と同時に私は私を投げ捨ててしまいたい。

文化人類学者は、自分の墓を砂漠にきめている。私の夫は、海にきめている。灰になったら、僕を海にばらまいてくれと、私に約束させた。でも彼は、それを他の女に頼まなければならなくなるだろう。

私の両親は八王子のどこかに彼らの永住の地をすでに用意してある。みんな少しずつ死の準備をしている。私は風葬でいい。

「あなたは、どんなふうに死にたいの？」

私の唐突な質問に彼がたじろぐのが電話を通して私につたわる。

「考えておくよ」

と彼が答える。別に急ぐ必要はないわ、と私は笑う。そして私たちはさよならを言う。

『風を探して』一九九〇年一〇月　中央公論社刊

解　説

村松友視

森瑤子さんと最後に会ったのは、亡くなる半年ばかり前のことだった。そのときにいつものムードと微妙にちがう何かを感じた。もしかしたら私は、彼女が亡くなってしまったいまあのときの記憶を修正しているのかもしれない。現にその微妙なムードのちがいを、私は誰にも話していないのだ。だが、彼女が逝ってしまったいまになってあのときのことを思い出すと、やはりそういうことではなかったかという気がする。

いつもの森瑤子さんにくらべてエネルギーが稀薄……それが、私が感じた微妙なちがいだった。ただ、彼女はつねにゆったりとした自然体の中に、エネルギーをつつみ込んでいるようなところがあったから、やわらかいムードそのものはとくにあのときにかぎったことではなかった。それに、当日は彼女の親しい友人たちとの小パーティの席でもあり、仕事の場所で会うのとはちがって、彼女自身もかなりリラックスしていたし、とくにサービス精神を精力的に発揮すべき場でもなかった。それを十分認識した上で、やはりいつもよりもエネルギーが稀薄だという感覚が私の中に生じたのである。

私は、それほど多く森瑤子さんと顔を合わせる機会がある方ではなかったが、エレガントなやわらかい表情、仕種、物言いの内側に、激しくエネルギッシュな感性が波打っているという強烈な印象をつねに受けていた。これは作家森瑤子のスタイルでもあり、女性森瑤子のスタイルでもあったにちがいない。そして、私には激しくエネルギッシュな感性を内側につつみ込む彼女のありようが、よく分るような気がしていた。

森瑤子さんは私と同い年だが、実はこの年輩の作家は非常に少ない。そのことをよく彼女と話し合ったものだった。私たちより少し上には戦争をはさんで別の教育をした教師への反発を抱く世代があり、少し下には七〇年安保世代がある。私たちはその両者にはさまれ、世代として括るべきあざやかなイメージを持ち合わせていない。したがって、〝時代〟や〝世代〟を代表して発言することができにくかったのであり、個人の世界を打ち出すというか個人の世界に遊ぶというか、そういう方法でしかものを表現できなかったという感じが強い。それが、私たちと同年輩の作家が少ない理由のひとつであり、森瑤子さんと私に共通する感覚もそのあたりだろうというのが、大体において二人の話の落着するところだった。

日本人の平均的生活からは並はずれてグレードの高い世界を自然体でこなす森瑤子さんと、小市民、プロレス、屋台、下町などにこだわる〝貧乏性〟の私とのあいだに、物書きとしての流儀のちがいを超えて通い合う気分は、そんな奇妙な世代感覚だったという思いが残っている。

〝個人〟の領域にコンパスの軸を刺す……そこには当然、エネルギッシュな感性を内側につつみ込むスタイルが生じるのであり、鋭角的というよりもエレガントなムードがからんでくる。そうやって森瑤子さんは本体をやわらかく隠すイメージの衣を身につけていたにちがいないが、よく目を凝らして透し見るならば、その衣の内側に波打つ強いエネルギーをとらえることができたのだった。

ところが最後に会ったときの森瑤子さんは、内と外との緊張が感じられず、作家森瑤子あるいは女性森瑤子のスタイルをかろうじて保っているというふうに見えた。私は、そのことに違和感をおぼえたのだったが、もちろん不吉な前兆という見定めは生じなかった。のちになって知るところによれば、そのときはまだ森瑤子さん自身も病いに気づいていなかったということであり、やはり彼女の死から逆算した記憶の修正であるのかもしれない。しかし、なぜあのときの印象が頭から離れないかといえば、森瑤子さんの内側にゆらめいているエネルギッシュな感性が、年を追って激しさをましているように見えていたからである。

ある時期から、森瑤子さんの言葉が積極的に前へ押し出されるようになった……そんな思いもまた私の中に沈んでいた記憶のひとつだ。彼女とはいくつかの賞の選考委員として同席したが、七、八年前まではその言葉は呟やきや独り言のように感じられたものだった。頭に浮ぶことどもを言葉にするのが大儀そうな、口に出してみても説得力に自信のないような、言葉にしないままの想念をそのまま軀の中に泳がせておきたいような、さまざまのニュアンスが彼女にはただよっていた。

ところが、ある賞のときに感じた印象がその後もつづくのだが、フィクションであれノンフィクションであれ、そこに〝女性の生き方〟というテーマがからんだとき、森瑤子さんはきわめて精力的に発言するようになった。これは私にとっては意外なことだった。フィクションの登場人物であっても、そこに描かれたあいまいな生き方は許さないという構えが、強く表面に出てきたのだ。生きる……ということへの覚悟が、彼女の中であきらかに大きく膨んでいるという趣きが、その表情にただよってきたのだった。いつものやわらかい自然体の輪郭が、そんなときだけは激しくふるえているようだった。

そういうケースが何度かあったが、内側にゆらめいているエネルギッシュな感性が、年を追って激しさをましているという私の印象は、そんな彼女を何度も見たことからくるのかもしれなかった。

『風を探して』は、森瑤子さんが死の三年前に書いた小説だ。つまり、私の側からながめた筋道によれば、内なるエネルギーが激しさをまし、作家・森瑤子のスタイルさえも変えかねないけはいが生じているさなかに書かれた作品ということになる。作品につらぬかれているのは、たしかにエネルギッシュな感性だ。

国際空港はどこも似たり寄ったりで、同じような顔をしている……この書き出しはいかにも森瑤子作品らしい、ゆったりとしたムードにみちみちていて、しかも主人公が生きている環境やセンスのレベルを、それとなく読者に伝えている心憎い一行だ。そう思って読みすすんでゆくと、しだいに激しく、エネルギッシュな作品世界へとガイドされてゆく。「シナ」という名の作者にかさなり合う女性作家「私」の内側に燃えるマグマが、着実に読む者の心を支配してくる。作者らしいセンス、会話、趣味などが散りばめられ、そのムードに浸ろうとするとストーリーが回転し、「私」の内側の炎のさらに奥へと誘い込まれる。そんなふうにして読んでゆくうち、聴覚に対する描写が、思いのほか多く出てくることに気づいた。

「シナ」という「私」の名を、モロッコの女性作家が「シーナ」と長く引き伸ばして数回呟やく、それを「私」は「一度めよりは二度めの方が、二度めより三度めの方が、そして最後に彼女の口の中で私の名は別の個性を持ち、より美しくなった」と受け止める。そして今度は「私」が「フェトゥマ」という相手の名を同じようにくり返し呟やいてみる。

一度も耳にしたこともなく、ましてや口の中で転がしたこともない異国の言葉を声にして言ってみるという特別の悦楽が、私を満たしたのはその瞬間だった。ほとんど官能的ですらあった。

私は自分の口ずさむ声の調子を聴いた。音節をはっきりときわだたせて発音すると、音がもつ独自の響きに、躰がぞくぞくしてくるのが感じられた。

彼女の名前は、私の名前がそう響いた以上に、私の口の中でより神秘的に、より美しく、何か特別な意味と重みをもつに至った。

「私」は、「風」をテーマにした小説を書くためにモロッコへやって来たのだが、そこでさまざまなことに出会うたびに、このように自らの内側への誘いを示しては先へ進む。まるであみだ籤のように横ばいし、すとんとストーリーが転がって、また横ばい……このスタイルが、過去と現在、あるいはここかなたを縦横に行き来するための効果をあげている。引用の部分をはじめとして、いわゆる聴覚に関する文章を、私は十分に楽しみながら読み進めた。それがいつか「風」というテーマとからんでくるにちがいない。勝手な読者となった私は、終りの方で「風自体には音がないんだわね」と不意の発見に驚く「私」に、ほとんど気分をかさねていた。たとえばそんなふうに、この作品には小説を読む愉しさがふんだんに盛り込まれている。

だが、この作品の基調をなしているのは、こわれやすく情熱的な「私」の内側に波打つマグマだろう。それは、重層的に、何通りもの読み方ができるように仕組まれているから、読み直すたびに新鮮な発見があるにちがいない。ただ、冒頭と同じように森瑤子作品らしいセンスで終っている数行前の、「みんな少しずつ死の準備をしている。私は風葬でいい。」という文章が、巻を閉じた私の目にしばらく灼きついていた。

私はこの作品の主人公である「私」を、必要以上に作者とかさねて読んでいたのかもしれなかった。内側に波打つマグマを秘めた、あのベティさんみたいな森瑤子さんが唐突にこの世から消えてしまった穴の大きさを、私はこれからじっくりとかみしめてゆくことになるのだろう。

中公文庫 ©1993

風を探して

一九九三年八月二五日印刷
一九九三年九月一〇日発行

著 者 森 瑤子

発行者 嶋中鵬二

本文・カバー印刷 三晃印刷
用紙 本州製紙
製本 小泉製本

発行所 中央公論社
〒104 東京都中央区京橋二―八―七
振替東京二―三四
ISBN4-12-202027-1
Printed in Japan

鶴八鶴次郎　川口松太郎
しぐれ茶屋おりく　川口松太郎
おはん・風の音　宇野千代
水西書院の娘　宇野千代
青山二郎の話　宇野千代
或るとき突然　宇野千代
私はいつでも忙しい　宇野千代
生きて行く私　宇野千代
東光金蘭帖　今東光
珍品堂主人　井伏鱒二
諸國畸人傳　石川淳
文林通言　石川淳
夷齋小識　石川淳
天馬賦　石川淳
末っ子物語　尾崎一雄
閑な老人　尾崎一雄
美しさと哀しみと　川端康成
ある人の生のなかに　川端康成
伊豆の旅　川端康成
高原　川端康成

芭蕉庵桃青　中山義秀
双蝶々 人情噺上　三遊亭圓生
雪の瀬川 人情噺中　三遊亭圓生
真景累ヶ淵 人情噺下　三遊亭圓生
日本の名匠　海音寺潮五郎
赤穂浪士伝（上下）　海音寺潮五郎
詩経　海音寺潮五郎訳
金色の伝説　森三千代
東甫塞物語　高垣護之助
肌色の月　久生十蘭
灰色の眼の女　神西清
三十五歳の詩人　高見順
つくられた真実　石坂洋次郎
愛しき者へ（上下）　中野重治 澤地久枝編
鹿鳴集歌解　吉野秀雄
明治巌窟王（上下）　村雨退二郎
山中放浪　今日出海
天皇の帽子　今日出海
あづま みちのく（正続）　唐木順三
石版東京図絵　永井龍男

話のもと　宇野信夫
年譜の行間　佐多稲子
佛にひかれて　丹羽文雄
魔身　丹羽文雄
蕩児帰郷　丹羽文雄
蓮如（全八巻）　丹羽文雄
大阪自叙伝　藤沢桓夫
鴉戯談　円地文子
女性に関する十二章　伊藤整
最近南米往来記　石川達三
ろまんの残党　石川達三
花のない季節　石川達三
富島松五郎伝　岩下俊作
神変白雲城　角田喜久雄
北の海　井上靖
わが文学の軌跡　井上靖
故里の鏡　井上靖
カルロス四世の家族―小説家の美術ノート　井上靖
鵠が音　折口春洋
ちょぷらん島漂流記　西川満

櫻桃の記　伊馬春部
残酷物語　南條範夫
城下の少年　南條範夫
城と街道　南條範夫
鎖　中里恒子
仮寝の宿　中里恒子
歌と死と空　大岡昇平
将門記　大岡昇平
レイテ戦記（上中下）　大岡昇平
ミンドロ島ふたたび　大岡昇平
わが文学生活　大岡昇平
堺港攘夷始末　大岡昇平
乱雲　松本清張
野盗伝奇　松本清張
突風　松本清張
真贋の森　松本清張
五十四万石の嘘　松本清張
霧の旗　松本清張
影の車　松本清張
北の詩人　松本清張

絢爛たる流離　松本清張
砂漠の塩　松本清張
ミステリーの系譜　松本清張
中央流沙　松本清張
眩人　松本清張
黒い手帖　松本清張
紅い白描　松本清張
渇いた配色　松本清張
大久保彦左衛門（上下）　村上元三
五彩の図絵（上下）　村上元三
江戸雑記帳　村上元三
六本木随筆　村上元三
冬の花 悠子　植草圭之助
私の聖書物語　椎名麟三
美しい女　椎名麟三
今はむかし ある文学的回想　中村光夫
戦争まで　中村光夫
文学回想 憂しと見し世　中村光夫
富士　武田泰淳
新・東海道五十三次　武田泰淳

目まいのする散歩　武田泰淳
混沌から創造へ　武田泰淳
妙高の秋　島村利正
檀流クッキング　檀一雄
美味放浪記　檀一雄
わが百味真髄　檀一雄
定年後　岡田誠三
桜島　新田次郎
海流　新田次郎
赤毛の司天台　新田次郎
舌鼓ところどころ　吉田健一
私の食物誌　吉田健一
書架記　吉田健一
東京の昔　吉田健一
瓦礫の中　吉田健一
怪奇な話　吉田健一
作家の態度　福田恆存
藝術とは何か　福田恆存
人間・この劇的なもの　福田恆存
増補版私の國語教室　福田恆存

於　雪　土佐一條家の崩壊　大原富枝
風のなかのあなたに　大原富枝
三郎物語　わが愛犬たち　大原富枝
めぐりあい　大原富枝
波濤は歌わない（上下）　大原富枝
青春の賭け　——小説 織田作之助　青山光二
どうなとなれ　富士正晴
大河内傳次郎　富士正晴
甲州子守唄　深沢七郎
妖木犬山椒　深沢七郎
みちのくの人形たち　深沢七郎
言わなければよかったのに日記　深沢七郎
染　彩　芝木好子
鹿のくる庭　芝木好子
火の山にて飛ぶ鳥　芝木好子
羽搏く鳥　芝木好子
明日を知らず　芝木好子
花実の森　——小説「文藝首都」　保高みさ子
風の鳴る国境　角田房子
幸田露伴（全四巻）　塩谷　賛

江戸八百八町物語　柴田錬三郎
デカダン作家行状記　柴田錬三郎
日を繋けて　島尾敏雄
日の移ろい（正続）　島尾敏雄
水と微風の世界　伊藤桂一
四万人の目撃者　有馬頼義
女　たち　中村真一郎
愛をめぐる断想　中村真一郎
頼山陽とその時代（上中下）　中村真一郎
古寺発掘　中村真一郎
独　身　者　福永武彦
父　広津和郎　広津桃子
旅　路　自伝小説　藤原てい
越前竹人形　水上　勉
くるま椅子の歌　水上　勉
あかね雲　水上　勉
静原物語　水上　勉
沙羅の門　水上　勉
わが山河巡礼　水上　勉
わが六道の闇夜　水上　勉

一　休　水上　勉
越　前　記　水上　勉
宇野浩二伝（上下）　水上　勉
近松物語の女たち　水上　勉
椎の木の暦　水上　勉
てんぐさお峯　水上　勉
良　寛　水上　勉
馬よ花野に眠るべし　水上　勉
極　道（上下）　小島直記
洋上の点　情報戦略家森恪の半生　小島直記
三井物産初代社長　小島直記
斬人斬馬剣　古島一雄の青春　小島直記
海辺の生と死　島尾ミホ
三人の卜伝　豊田　穣
大観伝　近藤啓太郎
舌出し天使　安岡章太郎
思い浮ぶこと　飯田龍太
風景のない旅　古山高麗雄
片乞い紀行　古山高麗雄
他人の痛み　古山高麗雄